フリガナつき！

原付免許

ラクラク合格問題集

長 信一［著］

成美堂出版

本書の使い方

Part1 重要度順に覚えよう 交通ルール24

交通ルールの解説

教官キャラがルールのポイントをやさしく紹介。出てきたら見逃さずにチェックしよう

重要度順に交通ルールを24に分類。順番に見ていこう

NO.1 ルールの内容をNo.で表示。1～101までしっかり覚えよう。各ルールの最後の問題、Part2の問題の解説とリンクしているので便利

用語チェック 交通用語をそのつど解説。意味を理解してスイスイ覚えられる

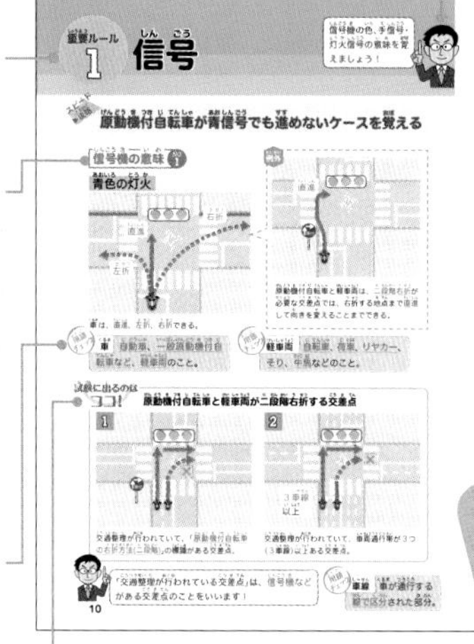

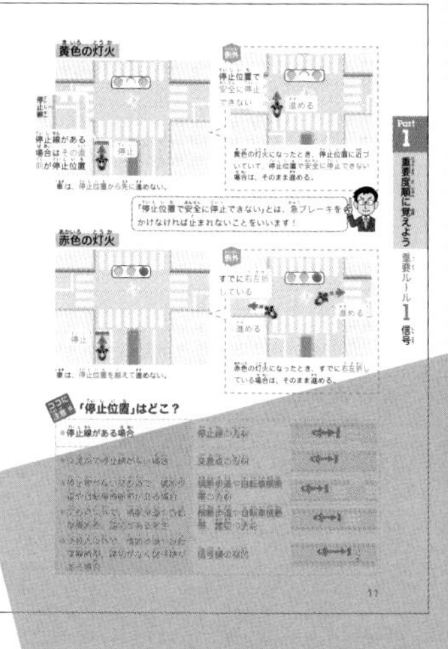

試験に出るのはココ! 試験に出るポイントをピックアップ。しっかり理解しよう

「赤シート」を当てると重要な部分が見えなくなる。最初はルールをひと通り読み、そのあとで「赤シート」を当てて復習しよう

各ルールのよく出る問題

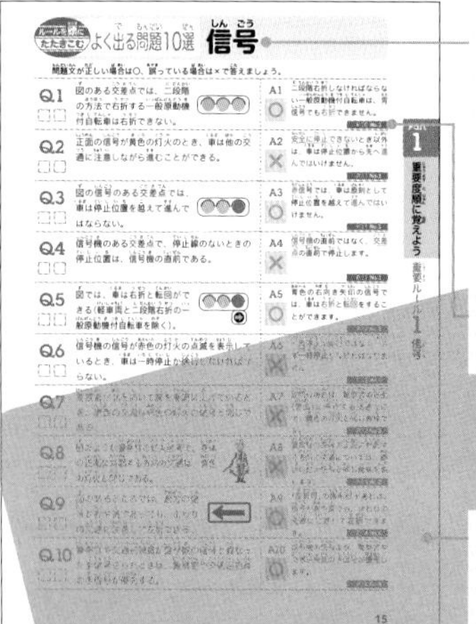

各ルール解説の最後のページによく出る問題を掲載。ルールを理解しているか確認しよう

間違えたらリンクページでルールを確認

「赤シート」を当てて正解と解説を隠しながら解いていこう

その他のアイコン

覚える 名称や暗記すべき場所など

みんなが間違えるのはココ! 間違えやすいルールの解説

ココに注意 カン違いしやすいルールの補足

Part2 実力をチェックしよう 模擬テスト

模擬テスト3回

制限時間を守って解いていこう

右ページに答えがあるので、答え合わせが簡単にできる

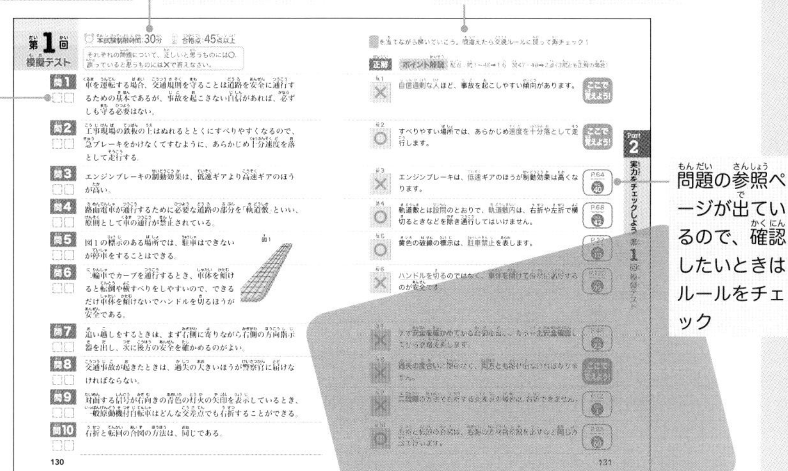

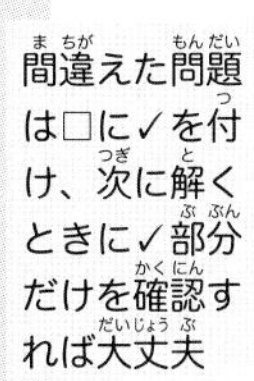

間違えた問題は□に✓を付け、次に解くときに✓部分だけを確認すれば大丈夫

問題の参照ページが出ているので、確認したいときはルールをチェック

「赤シート」を当てて正解と解説を隠しながら解いていこう

解き方のポイント

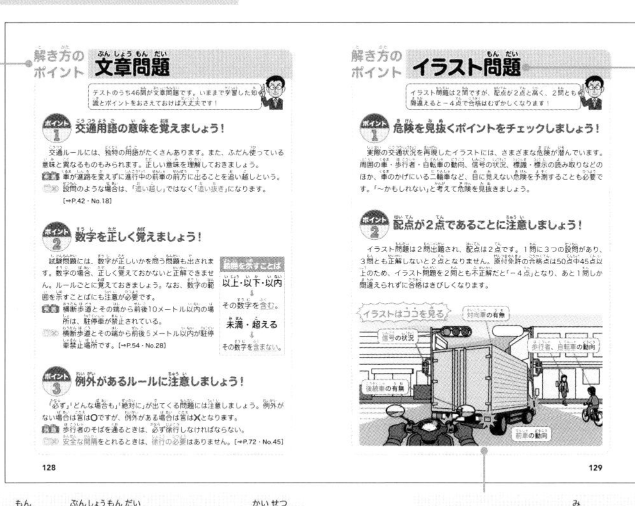

危険予測のイラスト問題の注意点を解説。2問とも正解できるように読んでおこう

46問ある文章問題のポイントを解説。解く前にチェックしておこう

イラストのどこを見るか、危険が潜んでいるポイントを確認しておこう

わからなくなったらコレで調べよう

交通用語 さくいん

本書に出てくる用語を関連ページとともに紹介しています！

あ行

か行

用語	意味	ページ
げん惑	ライトが目に入り、目が見えなくなる状態になること	123
交差点	２つ以上の道路が交わる場所	34
工事用安全帽	工事のときにかぶるもの	96
交通巡視員	交通整理などを行う警察職員	13
こう配の急な坂	おおむね10%（約６度）以上のこう配の坂	42
高齢者マーク	70歳以上の人が、普通自動車に付けるマーク	75
小型特殊自動車	特殊な用途に用いる小型の自動車	81,92

さ行

用語	意味	ページ
指示標示	交通の方法や場所を指示する標示	26
指示標識	交通の方法や場所を指示する標識	16
自転車横断帯	自転車が道路を渡るときの場所	32,73
視認性	目で見たときの見やすさのこと	122
視野	目で見える範囲	101
車線	車が通行する線で区分された部分	10
車両通行帯	車が通行するための道路の部分	31,36,43,78
準中型自動車	中型自動車より大きさなどが１ランク下の自動車	91
衝撃力	物にぶつかったときのかかる力	103
蒸発現象	ライトが重なって歩行者が見えなくなること	123
徐行	すぐ停止できるような速度で進むこと	12,22,37,62
初心者マーク	免許を受けて１年未満の人が普通自動車などに付けるマーク	75
身体障害者マーク	身体に障害のある人が普通自動車に付けるマーク	75
制動距離	ブレーキが効き始めてから車が止まるまでに走る距離	63
前照灯	車の前にあるライトのこと。ヘッドライト	122

た行

用語	意味	ページ
第一種運転免許	車の運転に必要な免許	92
代行運転	運転者の代わりに運転すること	92
第二種運転免許	営業運転するときなどに必要な免許	92
待避所	行き違いのときに車が入る場所	18,118
中型自動車	大型自動車より大きさなどが１ランク下の自動車	91
駐車	すぐ運転できない状態での車の停止	51
聴覚障害者マーク	聴覚に障害のある人が普通自動車などに付けるマーク	75
停止距離	危険を感じてブレーキをかけてから車が止まるまでの距離	63

な行

は行

ま行

や行

ら行

＊受験の詳細は、事前に各都道府県試験場のホームページなどで確認してください。

受験できない人	
1	年齢が16歳に達していない人
2	免許を拒否された日から起算して、指定期間を経過していない人
3	免許を保留されている人
4	免許を取り消された日から起算して、指定期間を経過していない人
5	免許の効力が停止、または仮停止されている人
	＊一定の病気（てんかんなど）に該当するかどうかを調べるため、症状に関する質問票（試験場にあります）を提出してもらいます。

受験に必要なもの	
1	住民票の写し（本籍記載のもの）、または小型特殊免許がある人はその免許証
2	運転免許申請書（用紙は試験場にあります）
3	証明写真 （タテ30ミリメートル×ヨコ24ミリメートルで、６か月以内に撮影したもの）
4	受験手数料、免許証交付料（金額は事前に確認しておいてください）
5	筆記用具（鉛筆、消しゴムなど）
	＊事前に原付講習を受けた人は「原付講習修了証明書」を持参してください。 ＊はじめて免許証を取る人は、健康保険証やパスポートなどの身分を証明するものの提示が必要です。

適性試験の内容		
1	視力検査	両眼0.5以上で合格。片眼が見えない場合でも、見えるほうの視力が0.5以上で、視野が150度以上あれば合格。メガネ、コンタクトレンズの使用も可。
2	色彩識別能力検査	信号機の色である「赤・黄・青」を見分けることができれば合格。
3	運動能力検査	手足、腰、指などの簡単な運動をして、車の運転に支障がなければ合格。義手や義足の使用も可。
		＊身体や聴覚に障害のある人は、あらかじめ運転適性相談を受けてください。

学科試験の内容と原付講習		
1	合格基準	問題を読んで別紙のマークシートの「正誤」欄に記入する形式。文章問題が46問（１問1点）、イラスト問題が２問（１問２点。ただし、３つの設問すべてに正解した場合に得点）出題され、50点満点中45点以上で合格。制限時間は30分。
2	原付講習	実際に一般原動機付自転車に乗り、操作や運転方法などの講習を３時間受ける。学科試験合格者を対象に行う場合や、事前に自動車教習所などで講習を受け、「原付講習修了証明書」を持参するなど、形式は都道府県によって異なる。

＊本書は、原則として2024年１月31日時点の情報にもとづいています。

Part 1 重要度順に覚えよう 交通ルール24

重要ルール

＊特に断りがない場合は 原動機付自転車＝一般原動機付自転車 を指す。

重要ルール 1

信号

信号機の色、手信号・灯火信号の意味を覚えましょう！

原動機付自転車が青信号でも進めないケースを覚える

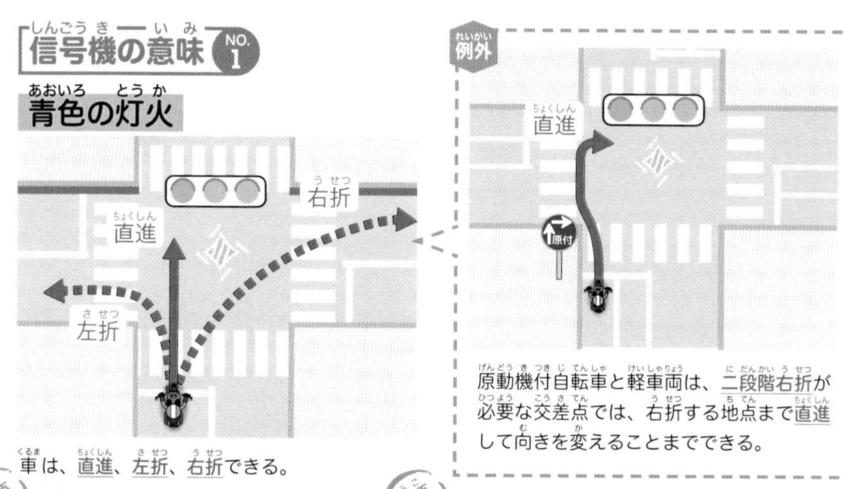

車は、直進、左折、右折できる。

原動機付自転車と軽車両は、二段階右折が必要な交差点では、右折する地点まで直進して向きを変えることまでできる。

用語チェック **車** 自動車、一般原動機付自転車など、軽車両のこと。

用語チェック **軽車両** 自転車、荷車、リヤカー、そり、牛馬などのこと。

試験に出るのはココ！ 原動機付自転車と軽車両が二段階右折する交差点

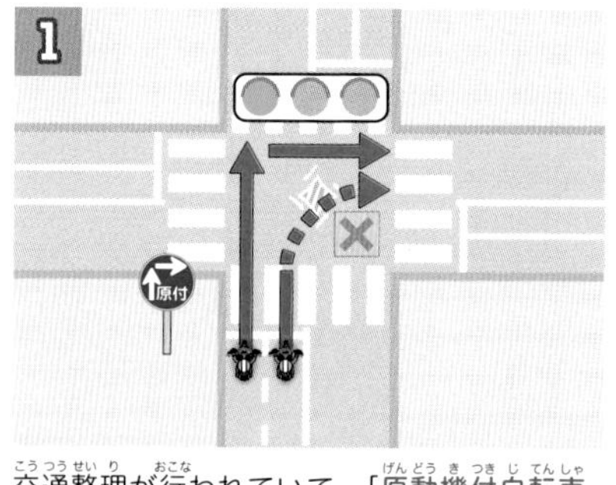

交通整理が行われていて、「原動機付自転車の右折方法(二段階)」の標識がある交差点。

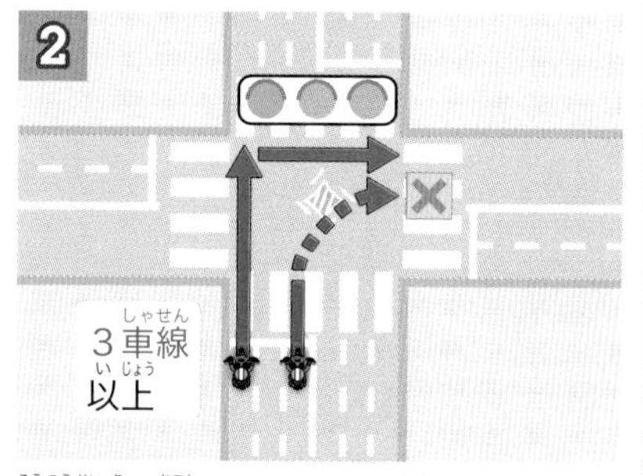

交通整理が行われていて、車両通行帯が3つ(3車線)以上ある交差点。

「交通整理が行われている交差点」は、信号機などがある交差点のことをいいます！

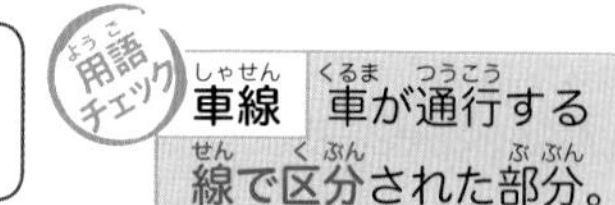

用語チェック **車線** 車が通行する線で区分された部分。

黄色の灯火

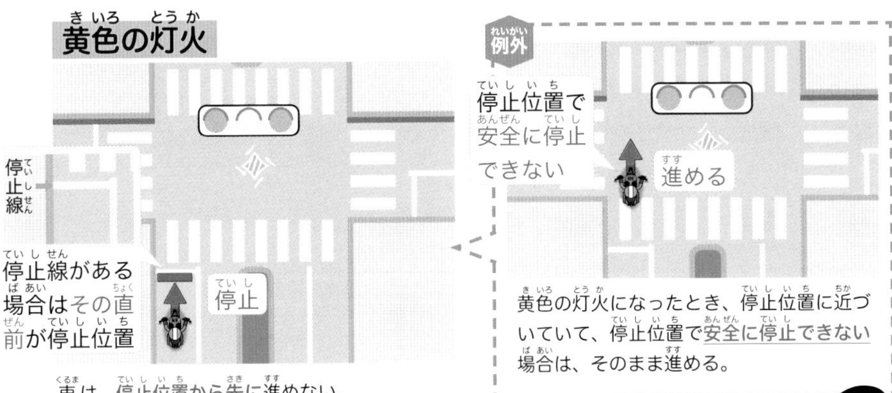

車は、停止位置から先に進めない。

黄色の灯火になったとき、停止位置に近づいていて、停止位置で安全に停止できない場合は、そのまま進める。

「停止位置で安全に停止できない」とは、急ブレーキをかけなければ止まれないことをいいます！

赤色の灯火

停止

車は、停止位置を越えて進めない。

赤色の灯火になったとき、すでに右左折している場合は、そのまま進める。

ココに注意 「停止位置」はどこ？

場合	停止位置
停止線がある場合	停止線の直前
交差点で停止線がない場合	交差点の直前
停止線がない交差点で、横断歩道や自転車横断帯がある場合	横断歩道や自転車横断帯の直前
交差点以外で、横断歩道や自転車横断帯、踏切がある場合	横断歩道や自転車横断帯、踏切の直前
交差点以外で、横断歩道や自転車横断帯、踏切がなく信号機がある場合	信号機の直前

青色の灯火の矢印

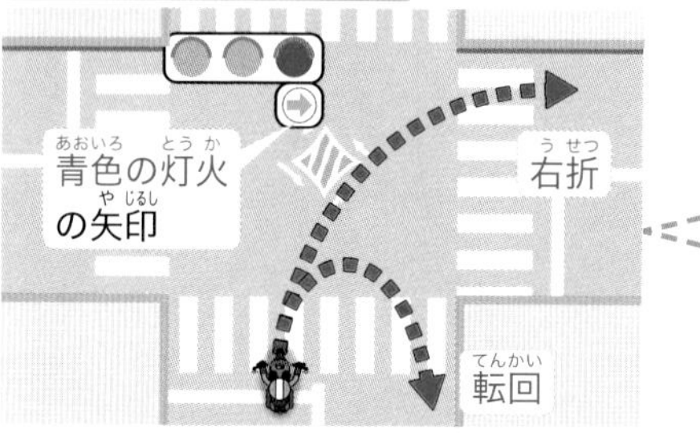

車は、矢印の方向に進める。右向き矢印の場合は、転回もできる。

用語チェック　**転回**　Uターンのこと。

例外

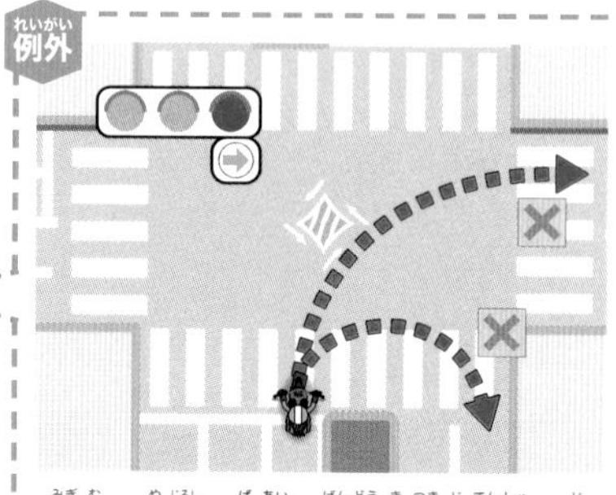

右向き矢印の場合、原動機付自転車と自転車などの軽車両は、二段階右折が必要な交差点では進めない。

黄色の灯火の矢印

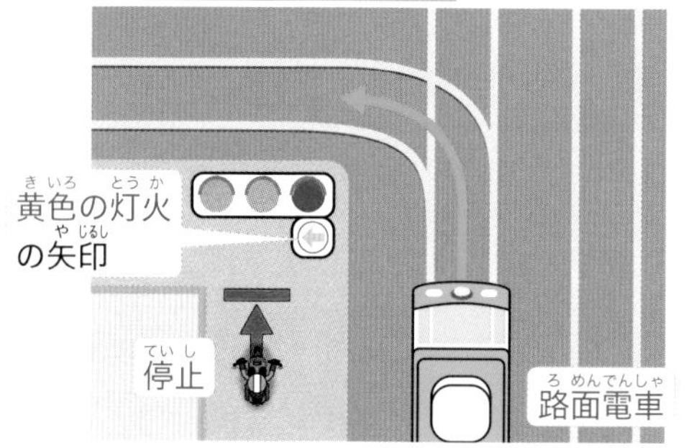

路面電車は、矢印の方向に進める（車は進めない）。

用語チェック　**路面電車**　道路上に敷かれたレールの上を走る電車。区分では「車など」になる。

黄色の灯火の点滅

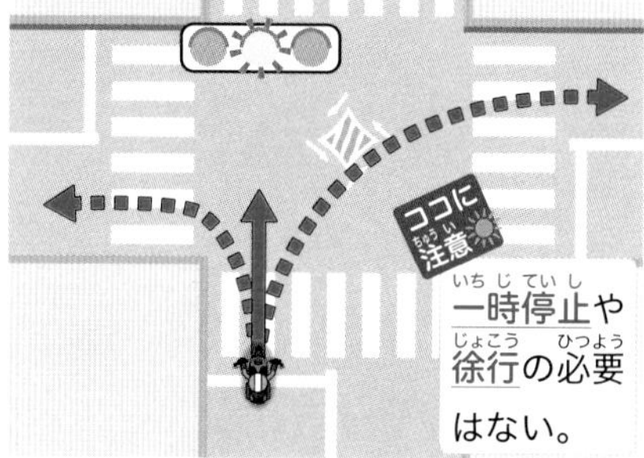

車は、他の交通に注意して進める。

用語チェック　**徐行**　車がすぐに停止できるような速度で進むこと。

赤色の灯火の点滅

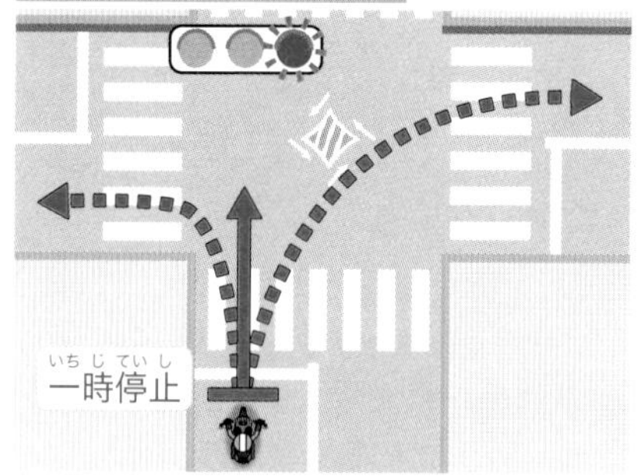

車は、停止位置で一時停止し、安全を確認したあとに進める。

みんなが間違えるのはココ！

黄色の灯火は原則として進めない。黄色の灯火の点滅は他の交通に注意して進める

警察官などの身体の正面(背面)に平行か対面かを見る

警察官・交通巡視員が行う手信号の意味 NO.2

交通巡視員 交通の取り締まり、交通整理などを行う警察職員。

腕を水平に上げているとき

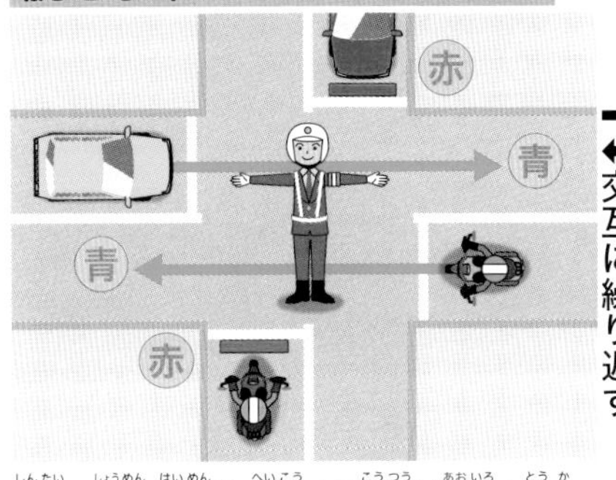

身体の正面(背面)に平行する交通は青色の灯火信号と同じ、対面する交通は赤色の灯火信号と同じ。

→← 交互に繰り返す

腕を垂直に上げているとき

身体の正面(背面)に平行する交通は黄色の灯火信号と同じ、対面する交通は赤色の灯火信号と同じ。

警察官・交通巡視員が行う灯火信号の意味 NO.3

灯火を横に振っているとき

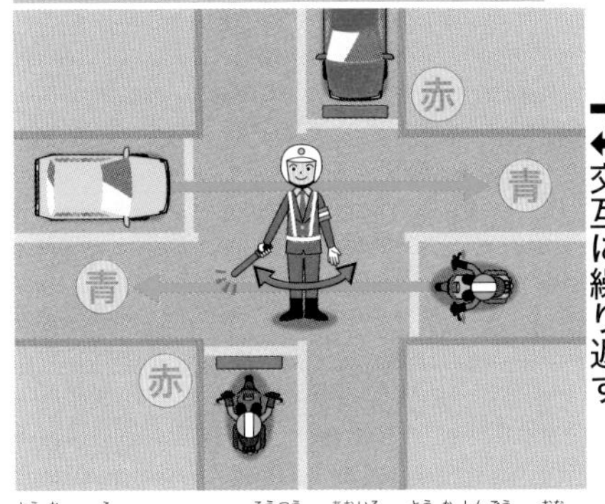

灯火が振られている交通は青色の灯火信号と同じ、灯火が振られている方向に対面する交通は赤色の灯火信号と同じ。

→← 交互に繰り返す

灯火を頭上に上げているとき

灯火が振られていた交通は黄色の灯火信号と同じ、灯火が振られていた方向に対面する交通は赤色の灯火信号と同じ。

手信号や灯火信号は、警察官などの腕や灯火の位置にかかわらず、身体の正面(背面)に対面する交通は必ず赤信号です！

信号機の信号より警察官などの信号が優先する

信号に関するその他のルール NO.4

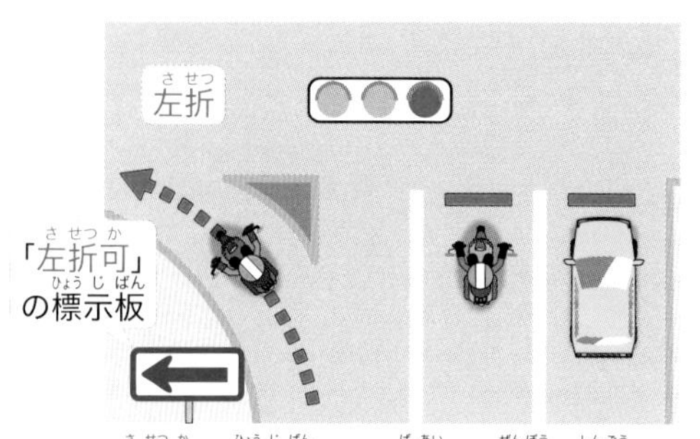

「左折可」の標示板がある場合は、前方の信号が赤や黄でも、車は歩行者などのまわりの交通に注意して左折できる。

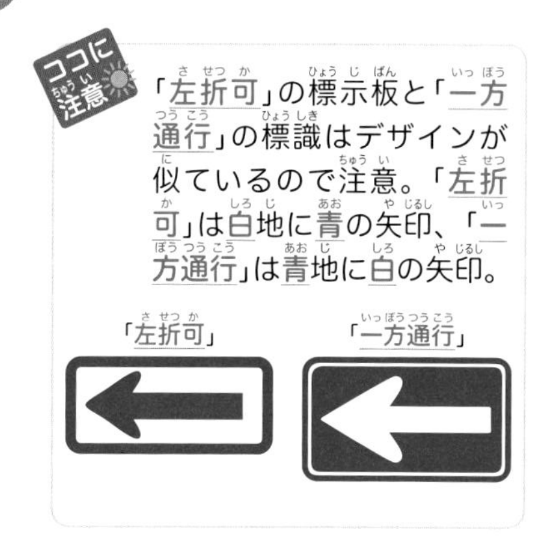

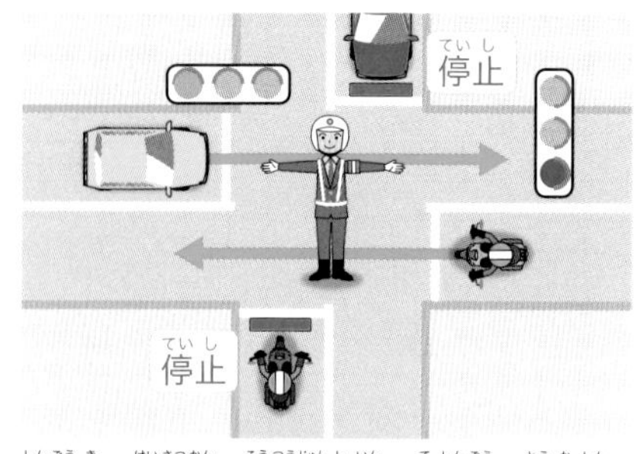

信号機と警察官・交通巡視員の手信号・灯火信号の示す意味が異なるときは、警察官・交通巡視員の手信号・灯火信号に従う。

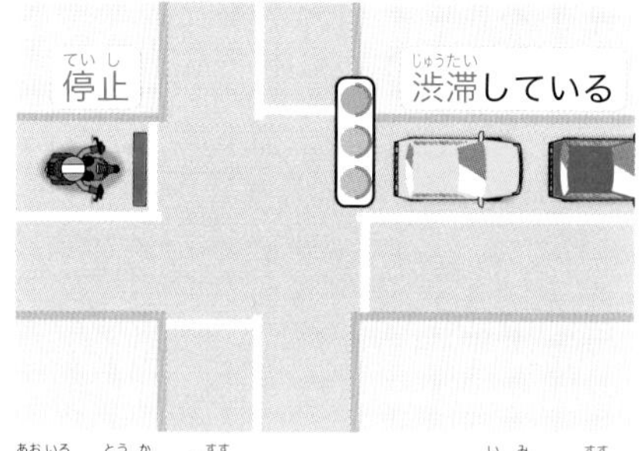

青色の灯火は「進んでもよい」という意味。「進め」という命令ではなく、前方が渋滞しているなど交通の状況によっては進まずに待つ。

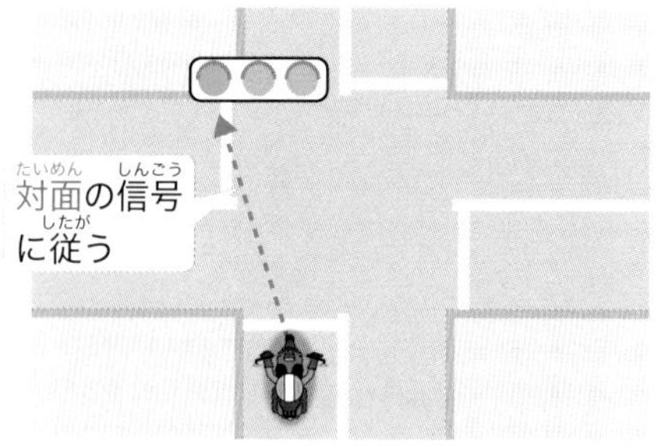

車は対面(前方)の信号に従う。時差式信号のように、交差する信号が赤でも前方の信号が青とは限らない。

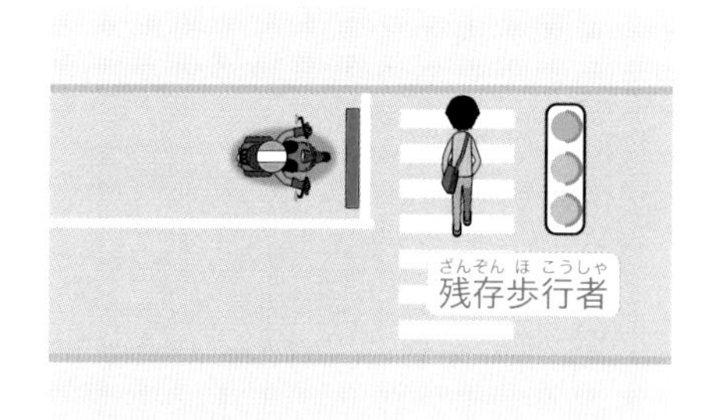

前方の信号が青に変わっても、まだ渡りきれていない歩行者(残存歩行者)がいる場合があるので、よく確認してから進行する。

よく出る問題10選 信号

問題文が正しい場合は○、誤っている場合は×で答えましょう。

Q.1 図のある交差点では、二段階の方法で右折する一般原動機付自転車は右折できない。

A1 ○ 二段階右折しなければならない一般原動機付自転車は、青信号でも右折できません。 P.10 No.1

Q.2 正面の信号が黄色の灯火のとき、車は他の交通に注意しながら進むことができる。

A2 × 安全に停止できないとき以外は、車は停止位置から先へ進んではいけません。 P.11 No.1

Q.3 図の信号のある交差点では、車は停止位置を越えて進んではならない。

A3 ○ 赤信号では、車は原則として停止位置を越えて進んではいけません。 P.11 No.1

Q.4 信号機のある交差点で、停止線のないときの停止位置は、信号機の直前である。

A4 × 信号機の直前ではなく、交差点の直前で停止します。 P.11 No.1

Q.5 図では、車は右折と転回ができる（軽車両と二段階右折の一般原動機付自転車を除く）。

A5 ○ 青色の右向き矢印の信号では、車は右折と転回をすることができます。 P.12 No.1

Q.6 信号機の信号が赤色の灯火の点滅を表示しているとき、車は一時停止か徐行しなければならない。

A6 × 一時停止か徐行ではなく、必ず一時停止しなければなりません。 P.12 No.1

Q.7 警察官が北を向いて腕を垂直に上げているとき、東西の交通は赤色の灯火の信号と同じである。

A7 × 設問の場合は、警察官の正面（背面）に平行する交通なので、黄色の灯火と同じ意味です。 P.13 No.2

Q.8 図のような警察官の灯火信号で、身体の正面に対面する方向の交通は、青色の灯火と同じである。

A8 × 警察官の身体の正面に対面する方向の交通については、赤色の灯火信号と同じ意味を表します。 P.13 No.3

Q.9 図のあるところでは、前方の信号が赤や黄であっても、まわりの交通に注意して左折できる。

A9 ○ 「左折可」の標示板があれば、信号が赤や黄でも、まわりの交通に注意して左折できます。 P.14 No.4

Q.10 警察官や交通巡視員が信号機の信号と異なった手信号をしたときは、警察官や交通巡視員の手信号が優先する。

A10 ○ 信号機の信号より、警察官や交通巡視員の手信号が優先します。 P.14 No.4

重要ルール 2

標識

標識は数が多いですが、規制標識をおもに覚えましょう！

標識はよく出る間違えやすいものから覚える

標識の種類 NO.5

標識

交通規制などを示す標示板のこと。

本標識　次の4種類。

規制標識

特定の交通方法を禁止したり、特定の方法に従って通行するよう指定したりするもの。

[例]

最高速度

歩行者専用

指示標識

特定の交通方法ができることや、道路交通上決められた場所などを指示するもの。

[例]

優先道路

横断歩道

警戒標識

道路上の危険や注意すべき状況などを前もって道路利用者に知らせて注意を促すもの。

[例]

踏切あり

道路工事中

案内標識

地点の名称、方面、距離などを示して、通行の便宜を図ろうとするもの。緑色の標識は高速道路に関するもの。

[例]

入口の方向

待避所

補助標識

本標識に取り付けられ、その意味を補足するもの。

[例]

ここから
始まり

ここまで
終わり

本標識は4種類あります。形と色はいろいろありますが、警戒標識はすべて黄色のひし形です！

よく出る＆間違えやすい A ランクの標識18

1

規

駐車禁止

車は駐車をしてはいけない（8時から20時まで禁止）。

2

規

駐停車禁止

車は駐車や停車をしてはいけない（8時から20時まで禁止）。

3

規

追越しのための右側部分はみ出し通行禁止

車は道路の右側部分にはみ出して追い越しをしてはいけない。

4

追越し禁止

追越し禁止

車は追い越しをしてはいけない。

5

規

歩行者等専用

歩行者専用道路を示し、車は原則として通行してはいけない。

6

規

一般原動機付自転車の右折方法（小回り）

一般原動機付自転車が交差点を右折するとき、小回りの方法で右折しなければならない。

7

規

一般原動機付自転車の右折方法（二段階）

一般原動機付自転車が交差点を右折するとき、二段階の方法で右折しなければならない。

8

規

通行止め

歩行者、遠隔操作型小型車、車、路面電車のすべてが通行できない。

9

規

車両横断禁止

車は横断してはいけない。道路外に出るため左折を伴う横断はできる。

規：規制標識

Aランクの標識は試験によく出るうえに、間違えやすいものです。しっかり覚えましょう。

10 規

二輪の自動車以外の自動車通行止め

二輪の自動車（大型・普通自動二輪車）以外の自動車は通行できない。

11 指

横断歩道

横断歩道であることを示す。

12 指

優先道路

優先道路であることを示す。

13 警

踏切あり

この先に踏切があることを示す。

14 警

学校、幼稚園、保育所などあり

この先に学校、幼稚園、保育所などがあることを示す。

15 警

道路工事中

この先の道路が工事中であることを示す。

16 案

待避所

待避所であることを示す。

17 補

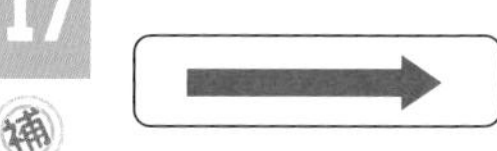

始まり

本標識が示す交通規制の始まりを示す。

18 補

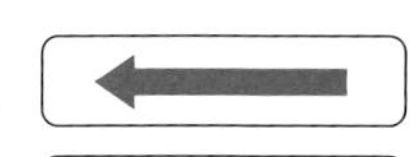

終わり

本標識が示す交通規制の終わりを示す。

規：規制標識　指：指示標識　警：警戒標識　案：案内標識　補：補助標識

標識 Aランク

問題文が正しい場合は○、誤っている場合は×で答えましょう。

Q1 本標識には、規制標識、補助標識、警戒標識、案内標識の４種類がある。

A1 ×
規制・指示・警戒・案内標識が本標識で、補助標識は本標識ではありません。
P.16 No.5

Q2 補助標識は本標識の意味を補足するもので、単独で用いられることはない。

A2 ○
補助標識は、本標識に取り付けられるものです。
P.16 No.5

Q3 指示標識は、特定の交通方法を禁止したり、特定の方法に従って通行するよう指定したりするものである。

A3 ×
指示標識は、特定の方法ができることや、道路交通上決められた場所などを指示するものです。
P.16 No.5

Q4 図の標識のある場所では、車は８時から20時までの間、駐車をしてはいけない。

A4 ○
図は「駐車禁止」の標識です。８時から20時までの間、駐車をしてはいけません。
P.17 No.6

Q5 図の標識のあるところに、午後７時に停車した。

A5 ×
「午前８時から午後８時まで駐停車禁止」を表すので、駐停車してはいけません。
P.17 No.6

Q6 図の標識のある場所でも、車は道路の右側にはみ出さなければ追い越しをしてもよい。

A6 ○
「追越しのための右側部分はみ出し通行禁止」で、右側にはみ出さない追い越しはできます。
P.17 No.6

Q7 図の標識は、この先は歩行者が多いので、車は注意して通行しなければならないことを表している。

A7 ×
「歩行者等専用」を表し、とくに通行が認められた車しか通行できません。
P.17 No.6

Q8 図の標識は、一般原動機付自転車が自動車と同じ方法で右折しなければならないことを表している。

A8 ○
「一般原動機付自転車の右折方法（小回り）」の標識で、あらかじめ道路の中央に寄って右折します。
P.17 No.6

Q9 図の標識は、一般原動機付自転車が二段階の方法で右折しなければならないことを表している。

A9 ○
図は、「一般原動機付自転車の右折方法（二段階）」の標識です。
P.17 No.6

標識は問題を解きながら覚えるのがいちばん。Q18までがんばって解きましょう！

Q.10 □□
図の標識は、車両はすべて通行できないが歩行者は通行してよいことを表している。

A10 ×
「通行止め」の標識のある場所は、歩行者、遠隔操作型小型車、車、路面電車のすべてが通行できません。 P.17 No.6

Q.11 □□
図の標識のあるところでは、車の横断が禁止されているが、左折を伴う道路外への横断はできる。

A11 ○
「車両横断禁止」の標識のある場所では、左折を伴う道路外への横断はすることができます。 P.17 No.6

Q.12 □□
図の標識のある道路は、二輪の自動車以外の自動車は通行できない。

A12 ○
「二輪の自動車以外の自動車通行止め」で、大型・普通自動二輪車を除く自動車は通行できません。 P.18 No.6

Q.13 □□
図の標識は、前方に交差する道路があることを表している。

A13 ×
「優先道路」を表し、標識がある側の道路が優先道路であること示しています。 P.18 No.6

Q.14 □□
図の標識は、この先に踏切があることを表している。

A14 ○
図は、この先に踏切があることを表す警戒標識です。 P.18 No.6

Q.15 □□
図の標識は、この先に横断歩道があることを示している。

A15 ×
横断歩道ではなく、「学校、幼稚園、保育所などあり」を表す警戒標識です。 P.18 No.6

Q.16 □□
図の標識は、この先の道路が工事中で車が通行できないことを表している。

A16 ×
この先の道路が工事中であることを示していますが、通行できないわけではありません。 P.18 No.6

Q.17 □□
図の補助標識は、本標識が示す交通規制の「終わり」を表している。

A17 ×
「始まり」の補助標識で、本標識が示す交通規制の始まりを表しています。 P.18 No.6

Q.18 □□
図の標識は、本標識とともに取り付けられていて、本標識が示す交通規制の始まりを表している。

A18 ×
「終わり」の補助標識で、本標識が示す交通規制の終わりを表しています。 P.18 No.6

よく出るBランクの標識32

1

規

車両通行止め

車（自動車、一般原動機付自転車、軽車両）は通行できない。

2

規

車両進入禁止

車は標識のある方向から進入してはいけない。

3

規

二輪の自動車・一般原動機付自転車通行止め

二輪の自動車（大型・普通自動二輪車）、一般原動機付自転車は通行できない。

4

規

大型自動二輪車および普通自動二輪車二人乗り通行禁止

大型自動二輪車と普通自動二輪車は、二人乗りをして通行してはいけない。

5

規

車両(組合せ)通行止め

示された車は通行できない（自動車と一般原動機付自転車は通行できない）。

6

規

指定方向外進行禁止

車は矢印の方向以外へは進行できない（右折禁止）。

7

規

転回禁止

車は転回（Uターン）してはいけない。

8

規

一時停止

車は一時停止しなければならない。

9

規

時間制限駐車区間

車は示された時間に限り、示された時間を超えて駐車してはいけない（8時から20時までの間、60分以内であれば駐車できる）。

10

規

最高速度

車は表示された速度（時速40キロメートル）を超えて運転してはいけない。原動機付自転車は時速30キロメートルを超えてはいけない。

11

規

自動車専用

高速道路（高速自動車国道または自動車専用道路）であることを示す。

12

規

普通自転車等及び歩行者等専用

特定小型原動機付自転車、普通自転車、歩行者以外は通行できない。

13

規

一方通行

車は矢印の示す方向の反対方向には通行できない。

14

規

専用通行帯

標示板に表示された車の専用の通行帯であることを示す（路線バス等の専用通行帯）。一般原動機付自転車は通行できる。

15

規

路線バス等優先通行帯

路線バス等の優先通行帯であることを示す。一般原動機付自転車は通行できる。

16

規

進行方向別通行区分

車が交差点で進行する方向別の通行区分を示す。

規：規制標識

Bランクの標識は試験によく出るものです。
がんばって覚えましょう！

17 規

警笛鳴らせ

車は警音器を鳴らさなければならない。

18 規

徐行

車は徐行しなければならない。

19 規

歩行者等通行止め

歩行者と遠隔操作型小型車は通行できない。

20 指

軌道敷内通行可

自動車は軌道敷内を通行できる。一般原動機付自転車は通行できない。

21 指

中央線

道路の中央や中央線であることを示す。

22 指

駐車可

車は駐車できる。

23 指

自転車横断帯

自転車の横断帯であることを示す。

24 指

安全地帯

安全地帯であることを示す。

25 警

信号機あり

この先に信号機があることを示す。

26 警

幅員減少

この先の道幅が狭くなっていることを示す。

27 警

車線数減少

この先の道路で車線数が減少することを示す。

28 警

下り急こう配あり

この先にこう配の急な下り坂があることを示す。

29 警

上り急こう配あり

この先にこう配の急な上り坂があることを示す。

30 警

横風注意

この先で横風が強く吹くことを示す。

31 案

登坂車線

登坂車線であることを示す。

32 案

方面と方向の予告

この先の道路の方面と方向の予告を示す。

規：規制標識　指：指示標識　警：警戒標識　案：案内標識

ルールを頭にたたきこむ よく出る問題9選 標識 Bランク

問題文が正しい場合は○、誤っている場合は×で答えましょう。

Q1 □□
図の標識は「車両通行止め」を表し、自動車、一般原動機付自転車、軽車両は通行できない。

A1 ○
「車両通行止め」の標識のあるところは、自動車、一般原動機付自転車、軽車両は通行できません。
P.21 No.7

Q2 □□
図の標識のある道路では、一般原動機付自転車は通行することができる。

A2 ×
「二輪の自動車・一般原動機付自転車通行止め」の標識で、一般原動機付自転車も通行できません。
P.21 No.7

Q3 □□
図の標識のあるところでは転回をしてはならないが、右折を伴う右への横断はすることができる。

A3 ○
「転回禁止」の標識がある場所でも、右折を伴う右への横断は禁止されていません。
P.21 No.7

Q4 □□
図の標識のある道路では、一般原動機付自転車も時速50キロメートルの速度で通行できる。

A4 ×
「最高速度時速50キロメートル」ですが、一般原動機付自転車は時速30キロメートルを超えてはいけません。
P.21 No.7

Q5 □□
図の標識は「一方通行」を表し、車は矢印の示す方向の反対方向へは通行できない。

A5 ○
図は「一方通行」を表します。車は、矢印の示す方向の反対方向には通行できません。
P.21 No.7

Q6 □□
図の標識のある場所では、一般原動機付自転車も通行できるが、路線バスなどが近づいてきたら、そこから出なければならない。

A6 ×
「路線バス等の専用通行帯」は一般原動機付自転車も通行でき、その通行帯から出る必要はありません。
P.21 No.7

Q7 □□
図の標識があったので、すぐに停止できるように時速10キロメートル以下に速度を落とした。

A7 ○
「徐行」の標識がある場所では、すぐに停止できるような速度に落として進行します。
P.22 No.7

Q8 □□
図の標識は「中央線」を表し、必ず道路の中央に設けられている。

A8 ×
「中央線」の標識ですが、必ずしも道路の中央に設けられているとは限りません。
P.22 No.7

Q9 □□
図の標識は、この先の車線数が減少することを表している。

A9 ×
図は、この先の道路の幅が狭くなることを示す「幅員減少」の標識です。
P.22 No.7

その他の重要なCランクの標識36

NO. 8

1 規 大型貨物自動車等通行止め

大型貨物自動車、特定中型貨物自動車、大型特殊自動車は通行できない。

2 規 特定の最大積載量以上の貨物自動車等通行止め

示された積載量（３トン）以上の貨物自動車と大型特殊自動車は通行できない。

3 規 大型乗用自動車等通行止め

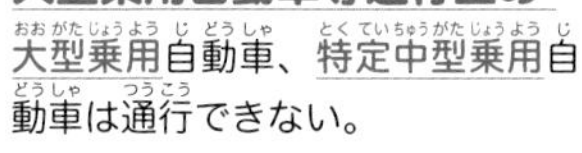

大型乗用自動車、特定中型乗用自動車は通行できない。

4 規 自転車以外の軽車両通行止め

自転車は通行できるが、荷車やリヤカーなどは通行できない。

5 規 特定小型原動機付自転車・自転車通行止め

特定小型原動機付自転車・自転車は通行できない。

6 規 駐車余地

車の右側に補助標識で示された余地（6メートル）をあけないと駐車してはいけない。

7 規 危険物積載車両通行止め

火薬類、爆発物、毒物、劇物などの危険物を積載する車は通行できない。

8 規 重量制限

総重量（車の重さ、荷物の重さ、人の重さの合計）が表示された重量（5.5トン）を超える車は通行できない。

9 規 高さ制限

地上からの高さ（荷物の高さを含む）が、表示されている高さ（3.3メートル）を超える車は通行できない。

10 規 最大幅

表示されている幅（2.2メートル）を超える車（荷物の幅を含む）は通行できない。

11 規 特定の種類の車両の最高速度

補助標識で示された車（大型貨物自動車）は表示された速度（時速50キロメートル）を超えてはいけない。

12 規 最低速度

自動車は表示されている速度（時速30キロメートル）に達しない速度で運転してはいけない。

13 規 特定小型原動機付自転車・自転車専用

特定小型原動機付自転車、普通自転車以外の車と歩行者は通行できない。

14 規 特定小型原動機付自転車・自転車一方通行

特定小型原動機付自転車と自転車は矢印の示す方向の反対側には通行できない。

15 規 車両通行区分

車は標示板の示す通行区分（軽車両・二輪）に従って通行しなければならない。

16 規 普通自転車専用通行帯

普通自転車等の専用通行帯を示す。

17 規 平行駐車

車は駐車するとき、道路の端に対して平行に止めなければならない。

18 規 直角駐車

車は駐車するとき、道路の端に対して直角に止めなければならない。

規：規制標識　指：指示標識　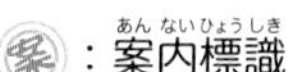警：警戒標識　案：案内標識　補：補助標識

Cランクの標識も試験に出るものです。
1つ1つ覚えていきましょう！

19 規 斜め駐車

車は駐車するとき、道路の端に対して斜めに止めなければならない。

20 規 警笛区間

車が警音器を鳴らさなければならない区間を示す。区間内の指定場所では警音器を鳴らさなければならない。

21 規 歩行者等横断禁止

歩行者と遠隔操作型小型車は横断できない。

22 指 横断歩道・自転車横断帯

横断歩道と自転車横断帯が併設された場所であることを示す。

23 指 並進可

普通自転車は2台並んで通行できる。

24 指 高齢運転者等標章自動車駐車可

専用場所駐車標章に登録（車両）番号が記載されている普通自動車のみ駐車できる。

25 指 停止線

車が停止する場合の位置を示す。

26 指 規制予告

標示板に表示されている交通規制が前方で行われていることを予告するもの。

27 案 駐車場

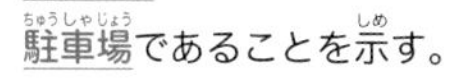

駐車場であることを示す。

28 案 国道番号

国道の番号を示す。

29 警 T形道路交差点あり

この先にT形道路交差点があることを示す。

30 警 ロータリーあり

この先にロータリーがあることを示す。

31 警 落石のおそれあり

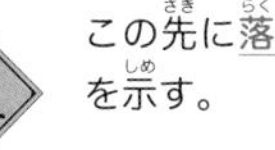

この先に落石のおそれがあることを示す。

32 警 すべりやすい

この先の道路がすべりやすいことを示す。

33 警 その他の危険

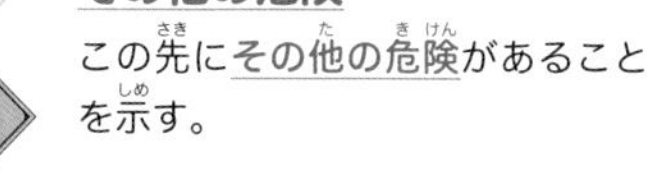

この先にその他の危険があることを示す。

34 案 方面と距離

この先の道路の方面と距離を示す。

35 案 方面、方向と道路の通称名の予告

この先の道路の方面、方向と道路の通称名の予告を示す。

36 補 区間内・区域内

本標識が示す交通規制の区間内や区域内であることを示す。

重要ルール 3 標示

黄色と白の線の意味を覚える

標示の種類 NO.9

標示

ペイントや道路びょうなどで道路に示された線や記号、文字のこと。

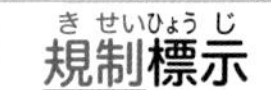

特定の交通方法を禁止または指定するもの。

［例］

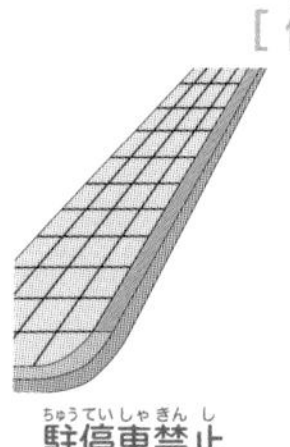

駐停車禁止

立入り禁止部分

指示標示

特定の交通方法ができることや、道路交通上決められた場所などを指示するもの。

［例］

右側通行

安全地帯

よく出るAランクの標示19

規

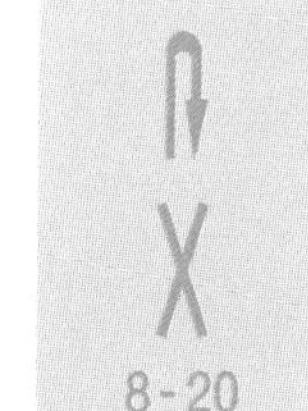

車は転回してはいけない（8時から20時まで禁止）。

規

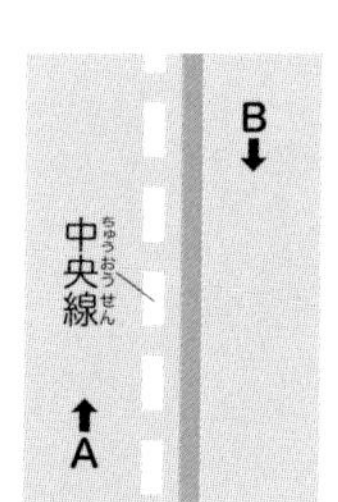

追越しのための右側部分はみ出し通行禁止

A・Bどちらの方向の車も追い越しのため道路の右側部分にはみ出して通行してはいけない。

B方向の車は追い越しのため道路の右側部分にはみ出して通行してはいけない。A方向の車は禁止されていない。

規：規制標示

3 規

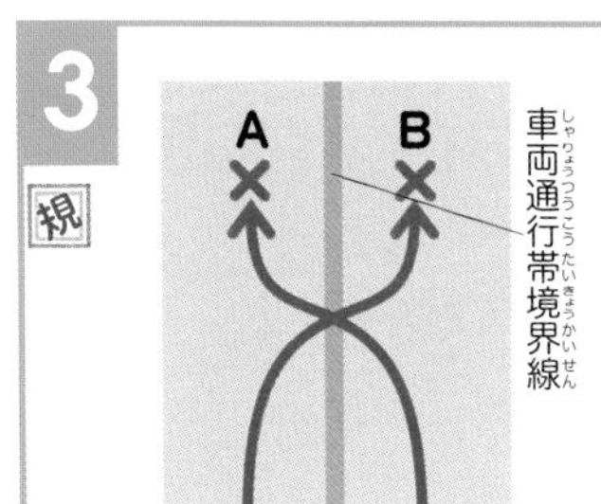

A
B
車両通行帯境界線

進路変更禁止

Aの車両通行帯の車はBへ、Bの車両通行帯の車はAへ、いずれも進路変更できない。

Bの車両通行帯の車はAへ進路変更できない。AからBへの進路変更は禁止されていない。

4 規

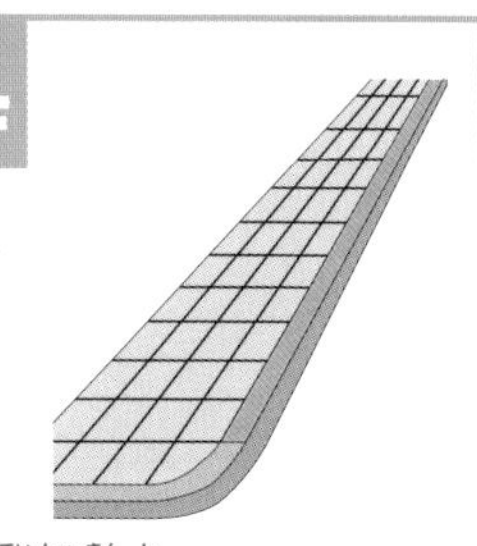

駐停車禁止

車は駐車や停車をしてはいけない。

5 規

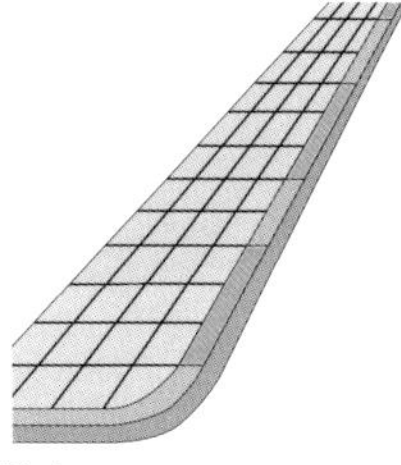

駐車禁止

車は駐車をしてはいけない。

6 規

40

最高速度

車は表示された速度（時速40キロメートル）を超えて運転してはいけない。一般原動機付自転車は時速30キロメートルを超えてはいけない。

7 規

立入り禁止部分

車はこの標示の中に入ってはいけない。

8 規

停止禁止部分

車はこの標示の中で停止してはいけない。前方の状況により標示内で停止するおそれがあるときは、この中に入ってはいけない。

9 規

路側帯

特例特定小型原動機付自転車、歩行者と軽車両は通行できる。

10 規

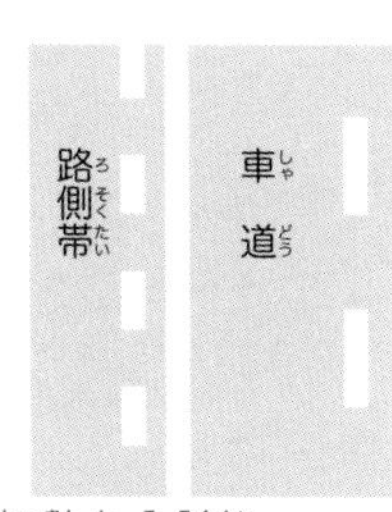

駐停車禁止路側帯

中に入って駐停車してはいけない。

Aランクの標示はよく出るものを集めています。とくに重要ですので、しっかり覚えましょう。

11

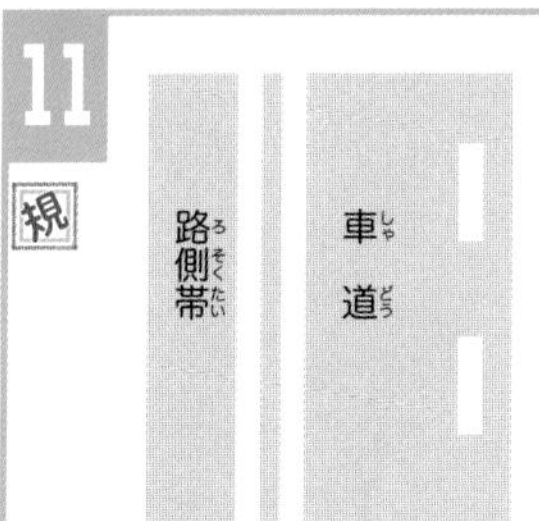

歩行者用路側帯

歩行者が通行できる。中に入って駐停車してはいけない。

12

優先本線車道

合流する前方の本線車道が優先道路(A)であることを示す。

13

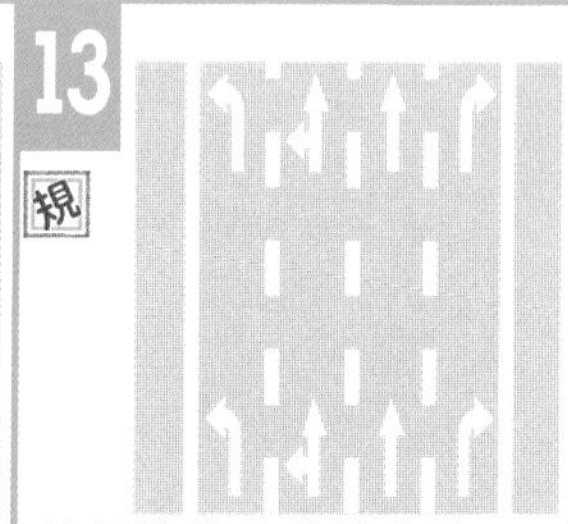

進行方向別通行区分

交差点で進行する方向別の通行区分を示し、車は指定された車両通行帯を通行しなければならない。

14

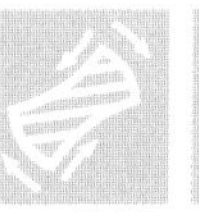

右左折の方法

車が交差点で右左折するときに、通行しなければならない部分を示す。

15

終わり

規制標示が表示する交通規制の区間の終わりを示す(転回禁止区間の終わり)。

16

右側通行

車は道路の中央から右の部分を通行することができる。

17

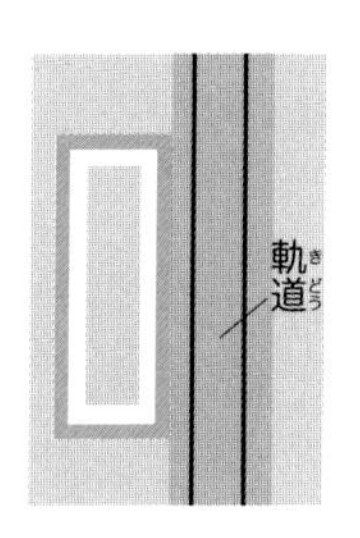

安全地帯

安全地帯であることを示す。

18

横断歩道または自転車横断帯あり

前方に横断歩道や自転車横断帯があることを示す。

19

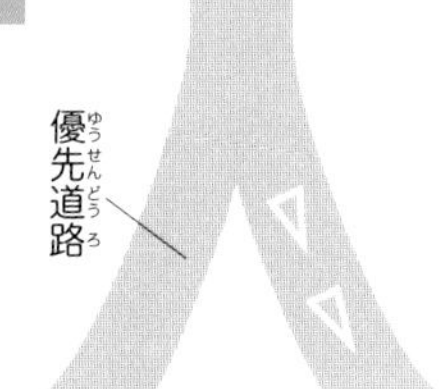

前方優先道路

前方の道路が優先道路であることの予告を示す。

規：規制標示　指：指示標示

ルールを頭にたたきこむ よく出る問題16選 **標示** Aランク

問題文が正しい場合は○、誤っている場合は×で答えましょう。

Q.1 □□
標示とは、ペイントや道路びょうなどで道路上に示された線や記号、文字のことで、規制標示、指示標示、案内標示の３種類がある。

A1 ×
標示は規制標示と指示標示の２種類で、案内標示はありません。

P.26 No.9

Q.2 □□
指示標示とは、特定の交通方法ができることや、道路交通上決められた場所などを指示するものである。

A2 ○
指示標示とは設問のとおりで、交通の方法や場所などを指示するものです。

P.26 No.9

Q.3 □□
図の標示がある場所で、午前７時に安全を確認して転回を行った。

8-20

A3 ○
図の標示は８時から20時まで転回禁止を表し、午前７時に転回するのは禁止されていません。

P.26 No.10

Q.4 □□
図の標示のあるところでは、A車は中央線を越えて追い越しをしてもよい。

中央線 B A

A4 ○
B車の側に黄色の線があるので、B車は中央線を越えて追い越してはいけません。

P.26 No.10

Q.5 □□
図の標示のあるところでは、Aの通行帯からBの通行帯へ進路を変えてはならない。

A B 車両通行帯境界線

A5 ×
黄色の線のあるBの通行帯からの進路変更が禁止されています。

P.27 No.10

Q.6 □□
図の標示のあるところに車を止め、５分以内で荷物の積みおろしを行った。

A6 ○
図は「駐車禁止」を表し、５分以内の荷物の積みおろしの停車はすることができます。

P.27 No.10

Q.7 □□
図の標示は「停止禁止部分」を表し、車はこの中に入って停止してはならない。

A7 ×
図は「立入り禁止部分」を表し、車はこの標示の中に入ってはいけません。

P.27 No.10

Q.8 □□
車は図の標示内を通行してもよいが、停止してはならない。

A8 ○
「停止禁止部分」を表し、その中で停止してはいけません。

P.27 No.10

Q９～16の問題も標示の意味を考えながら「○」「×」を答えましょう！

Q.9 □□

図の標示のあるところでは、車は路側帯の中に入って駐停車してはいけない。

路側帯　車道

A9 ○

「駐停車禁止路側帯」を表し、車は路側帯の中に入っての駐車や停車が禁止されています。

P.27 No.10

Q.10 □□

図の標示は「歩行者用路側帯」なので、歩行者は通行できるが自転車は通行できない。

路側帯　車道

A10 ○

図は「歩行者用路側帯」の標示で、自転車を含め、車は通行できません。

P.28 No.10

Q.11 □□

図の標示は、ロータリー式の交差点であることを表している。

A11 ×

図は「右左折の方法」を表し、車が右左折するとき通行しなければならない部分を示しています。

P.28 No.10

Q.12 □□

図の標示は、転回禁止の区間が始まることを表している。

A12 ×

始まりではなく、転回禁止区間が終わることを表しています。

P.28 No.10

Q.13 □□

図の標示は、危険であるから矢印のように進行してはならないことを示している。

A13 ×

図の標示は、右側通行ができることを示しています。

P.28 No.10

Q.14 □□

図の標示は、安全地帯なのでこの中に車を乗り入れてはならないことを表している。

軌道

A14 ○

図は「安全地帯」を表し、標示内に車を乗り入れてはいけません。

P.28 No.10

Q.15 □□

図の標示は、前方に横断歩道や自転車横断帯があることを示している。

A15 ○

図の標示は「横断歩道または自転車横断帯あり」を示しています。

P.28 No.10

Q.16 □□

図の標示は、標示のある道路が優先道路であることを表している。

A16 ×

図の標示は、交差する前方の道路が優先道路であることを表しています。

P.28 No.10

その他の重要なBランクの標示20

1 規

車両通行帯

車が道路の定められた部分を通行するように標示によって示された道路の部分をいう。

2 規

車両通行区分

車の種類によって通行位置が指定された車両通行帯を示す。

3 規

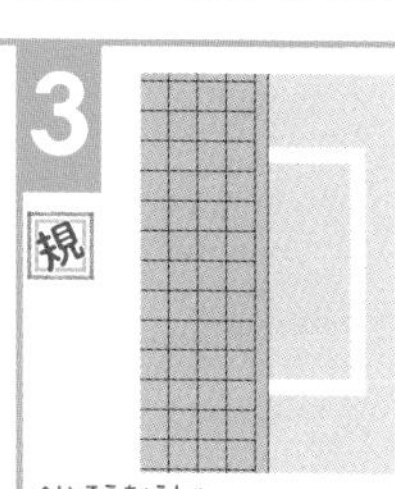

平行駐車

車は駐車するとき区画された部分に入り、道路の端に対して平行に止めなければならない。

4 規

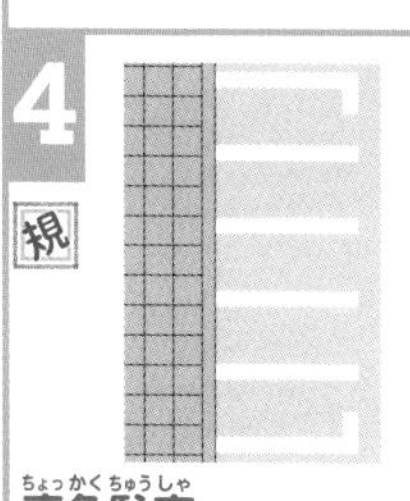

直角駐車

車は駐車するとき区画された部分に入り、道路の端に対して直角に止めなければならない。

5 規

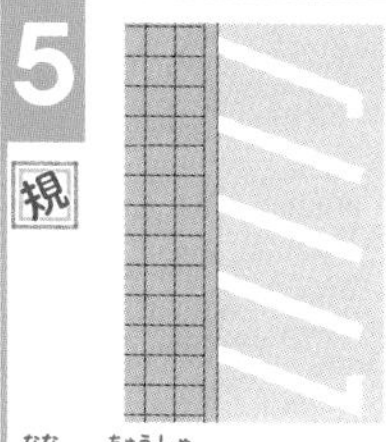

斜め駐車

車は駐車するとき区画された部分に入り、道路の端に対して斜めに止めなければならない。

6 規

専用通行帯

表示された車の専用の通行帯であることを示す（7時から9時まで路線バス等の専用通行帯）。一般原動機付自転車は通行できる。

7 規

路線バス等優先通行帯

路線バス等の優先通行帯であることを示す（7時から9時まで）。原動機付自転車は通行できる。

8 規

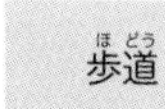

特例特定小型原動機付自転車・普通自転車歩道通行可

特例特定小型原動機付自転車と普通自転車が歩道を通行できる。

9 規

特例特定小型原動機付自転車・普通自転車の歩道通行部分

特例特定小型原動機付自転車と普通自転車が通行する歩道の部分を示す。

規：規制標示

残りの標示もあとわずかです。Bランクの標示も試験に出ることがあります！

10 規

普通自転車の交差点進入禁止

普通自転車はこの標示(黄色の線)を越えて交差点に進入してはいけない。

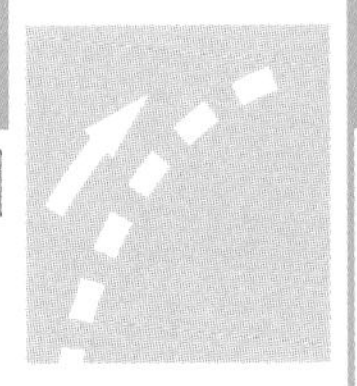

11 規

環状交差点における左折等の方法

環状交差点で車が通行しなければならない部分を表す。

12 指

横断歩道

歩行者が道路を横断するための場所であることを示す。

13 指

自転車横断帯

自転車が道路を横断するための場所であることを示す。

14 指

停止線

車が停止する場合の位置であることを示す。

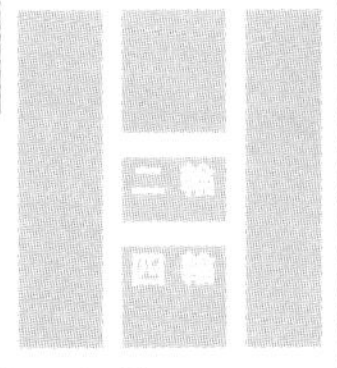

15 指

二段停止線

二輪車が停止する場合の位置と、二輪車以外の車が停止する場合の位置であることを示す。

16 指

中央線

道路の中央か中央線を示す。

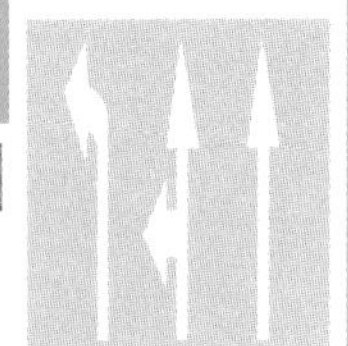

17 指

進行方向

車が進行することができる方向を示す。

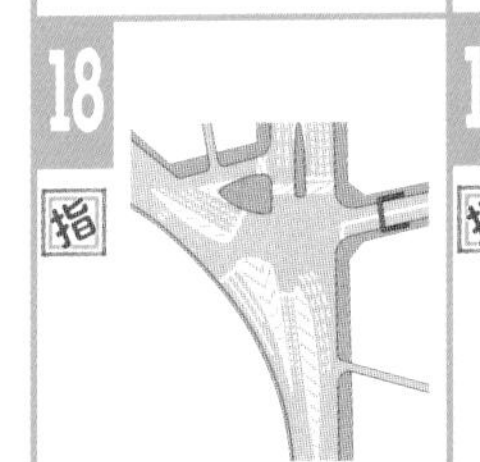

18 指

導流帯

車の通行を安全で円滑に誘導するため、車が通らないようにしている道路の部分を示す。

19 指

安全地帯または路上障害物に接近

前方に安全地帯か路上障害物があり、避ける方向を表す。

20 指

路面電車停留場

路面電車の停留所(場)であることを示す。

規：規制標示　指：指示標示

ルールを頭にたたきこむ よく出る問題8選 標示 Bランク

問題文が正しい場合は○、誤っている場合は×で答えましょう。

Q.1 一般原動機付自転車は、図の標示のある道路を通行してはならない。

A1 ×
一般原動機付自転車、小型特殊自動車、軽車両は、路線バス等の専用通行帯を通行できます。

P.31 No.11

Q.2 図の標示の車両通行帯では、路線バス等以外の車は通行してはならない。

A2 ×
図は「路線バス等優先通行帯」を表しますが、車は原則として通行できます。

P.31 No.11

Q.3 図の標示は、自転車横断帯である。

A3 ×
図の標示は、特例特定小型原動機付自転車と普通自転車が歩道を通行できることを表しています。

P.31 No.11

Q.4 図の標示は、普通自転車が黄色の線を越えて交差点に進入してはならないことを表している。

A4 ○
「普通自転車の交差点進入禁止」の標示で、普通自転車は黄色の線を越えて交差点に進入できません。

P.32 No.11

Q.5 図の標示があっても、環状交差点で車が左折するときは標示が示す通行部分に従う必要はない。

A5 ×
「環状交差点における左折等の方法」の標示があるところでは、その方法に従わなければなりません。

P.32 No.11

Q.6 図の標示は「横断歩道」を表し、歩行者が道路を横断するための場所であることを示している。

A6 ○
図は「横断歩道」の標示で、歩行者が道路を横断するための場所であることを示しています。

P.32 No.11

Q.7 図の標示は「導流帯」を表し、車が通らないようにしている道路の部分である。

A7 ○
「導流帯」の標示は、車を安全で円滑に誘導するため、車が通らないようにしている道路の部分です。

P.32 No.11

Q.8 図の標示は、路線バスの停留所であることを表している。

A8 ×
「路面電車停留場」の標示は、路面電車の停留所(場)であることを表しています。

P.32 No.11

重要ルール 4

交差点

交差点は事故が多い場所。安全な通行法を覚えましょう！

スピード攻略

左折ではあらかじめ道路の左端に寄って徐行する

左折の方法と注意点 NO.12

方法

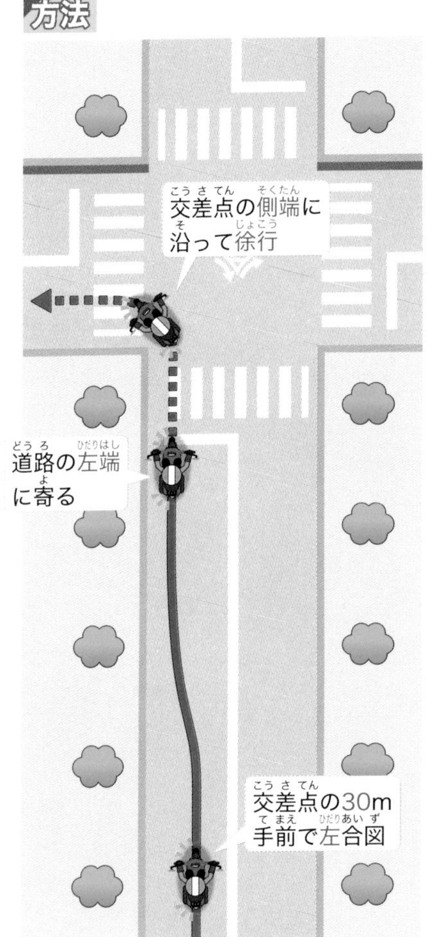

あらかじめできるだけ道路の左端に寄り、交差点の側端に沿って徐行しながら通行する。

注意点

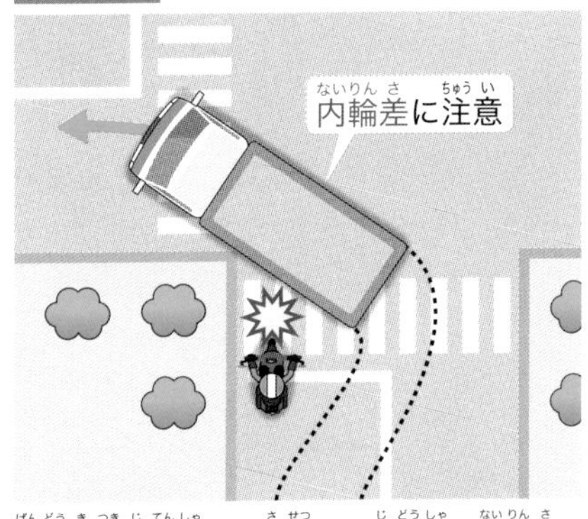

原動機付自転車は、左折する自動車の内輪差によって巻き込まれないように注意する。

ココに注意

内輪差は、車が右左折するとき、後輪が前輪より内側を通ることによる前後輪の軌跡の差のこと。大型車ほど内輪差は大きくなる。

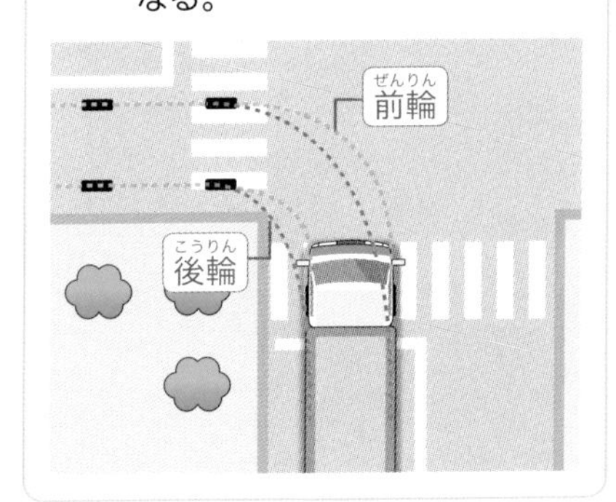

右折は一方通行路では方法が少し違うことを覚える

右折の方法と注意点 NO.13

方法1

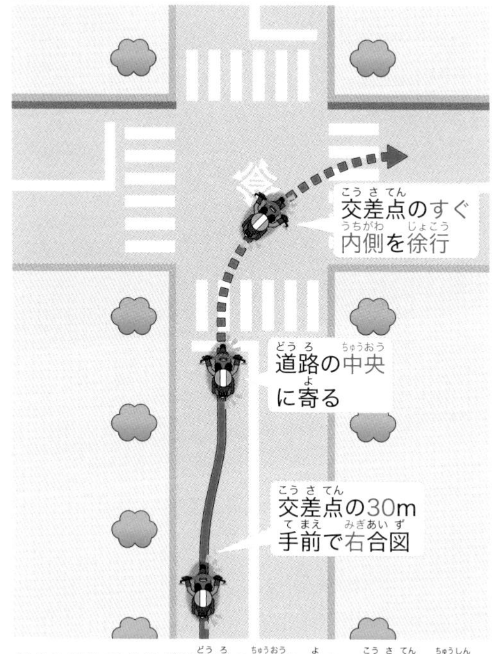

あらかじめできるだけ道路の中央に寄り、交差点の中心のすぐ内側を徐行しながら通行する。

方法2 一方通行の道路

あらかじめできるだけ道路の右端に寄り、交差点の中心の内側を徐行しながら通行する。

注意点

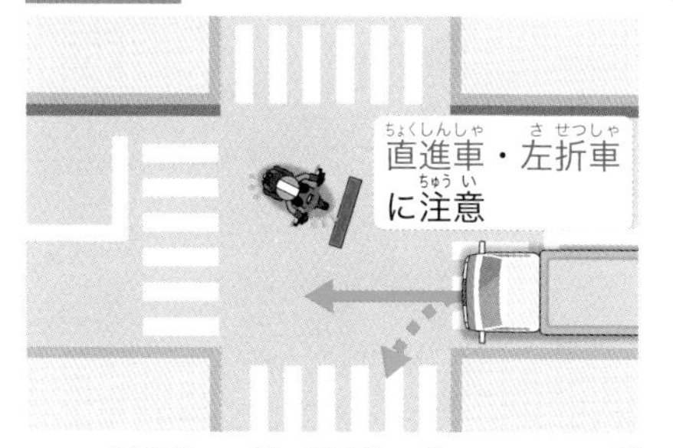

たとえ対向車より先に交差点に入っていても、直進車や左折車の進行を妨げてはならない。

ココに注意

対向車のかげに二輪車がいることがあるので注意する。

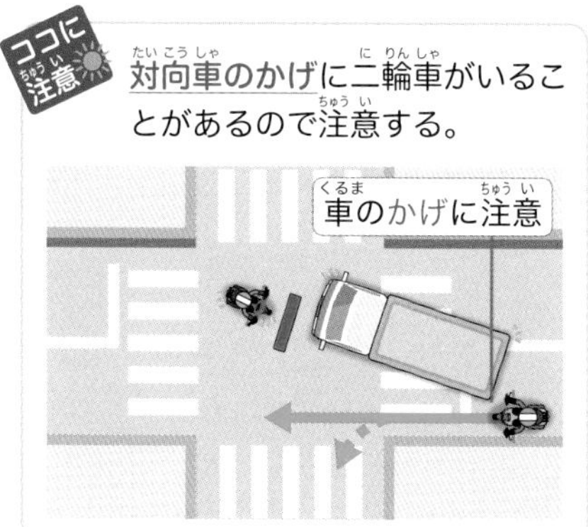

通行している車両通行帯の数が３つ以上で二段階右折

原動機付自転車の二段階右折 NO.14

覚える 二段階右折しなければならない交差点

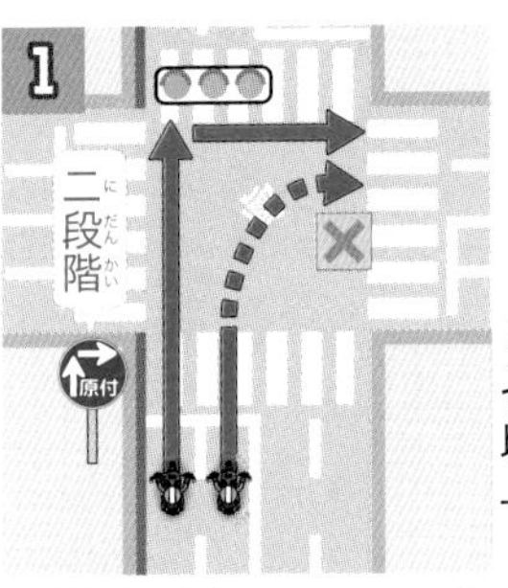

交通整理が行われていて、「一般原動機付自転車の右折方法（二段階）」の標識がある道路の交差点。

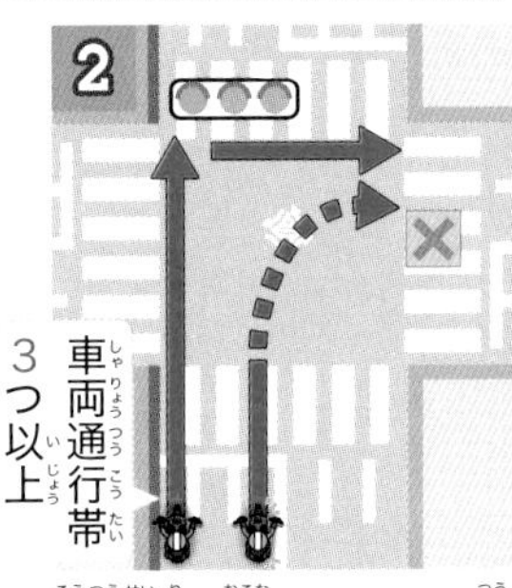

交通整理が行われていて、通行している車両通行帯が３つ以上の道路の交差点。

ココに注意

交通整理が行われている交差点
＝
信号機などがある交差点

用語チェック　車両通行帯

車が道路の定められた部分を通行するように、標示によって示された道路の部分。「車線」「レーン」ともいう。

覚える 小回り右折しなければならない交差点

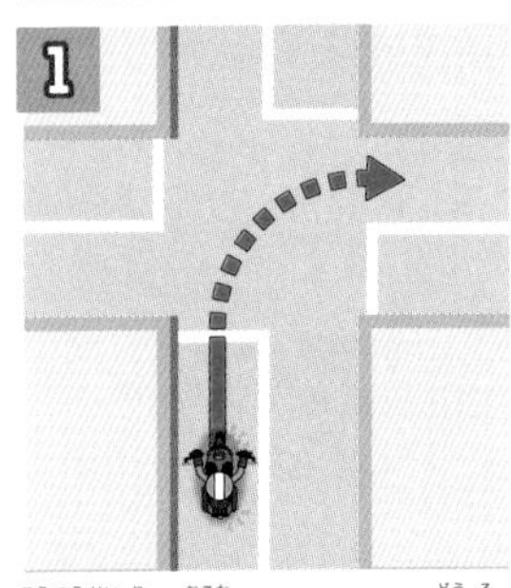

交通整理が行われていない道路の交差点。

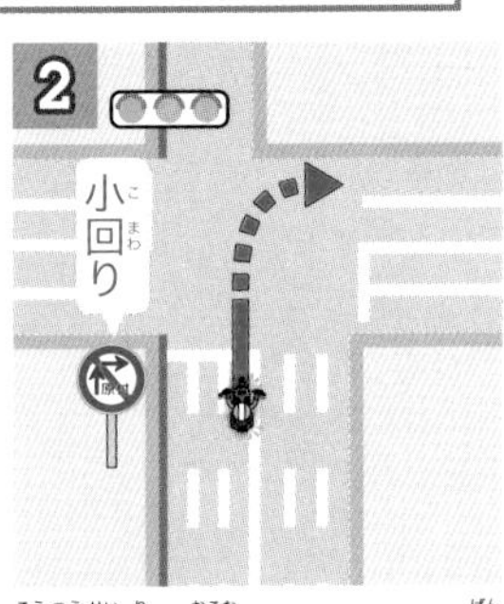

交通整理が行われていて、「原動機付自転車の右折方法（小回り）」の標識がある道路の交差点。

交通整理が行われていて、通行している車両通行帯が２つ以下の道路の交差点。

２つの標識の意味を正しく覚える

原動機付自転車の右折方法の標識は２つある。地が青色は二段階右折が「できる」、赤色の斜めの線は「できない」ことを覚える！

地が青（できる）

二段階

赤の斜め線（できない）

小回り

二段階右折の方法

二段階右折ではまず交差点を直進しますが、交差点の手前で右折の合図を出します！

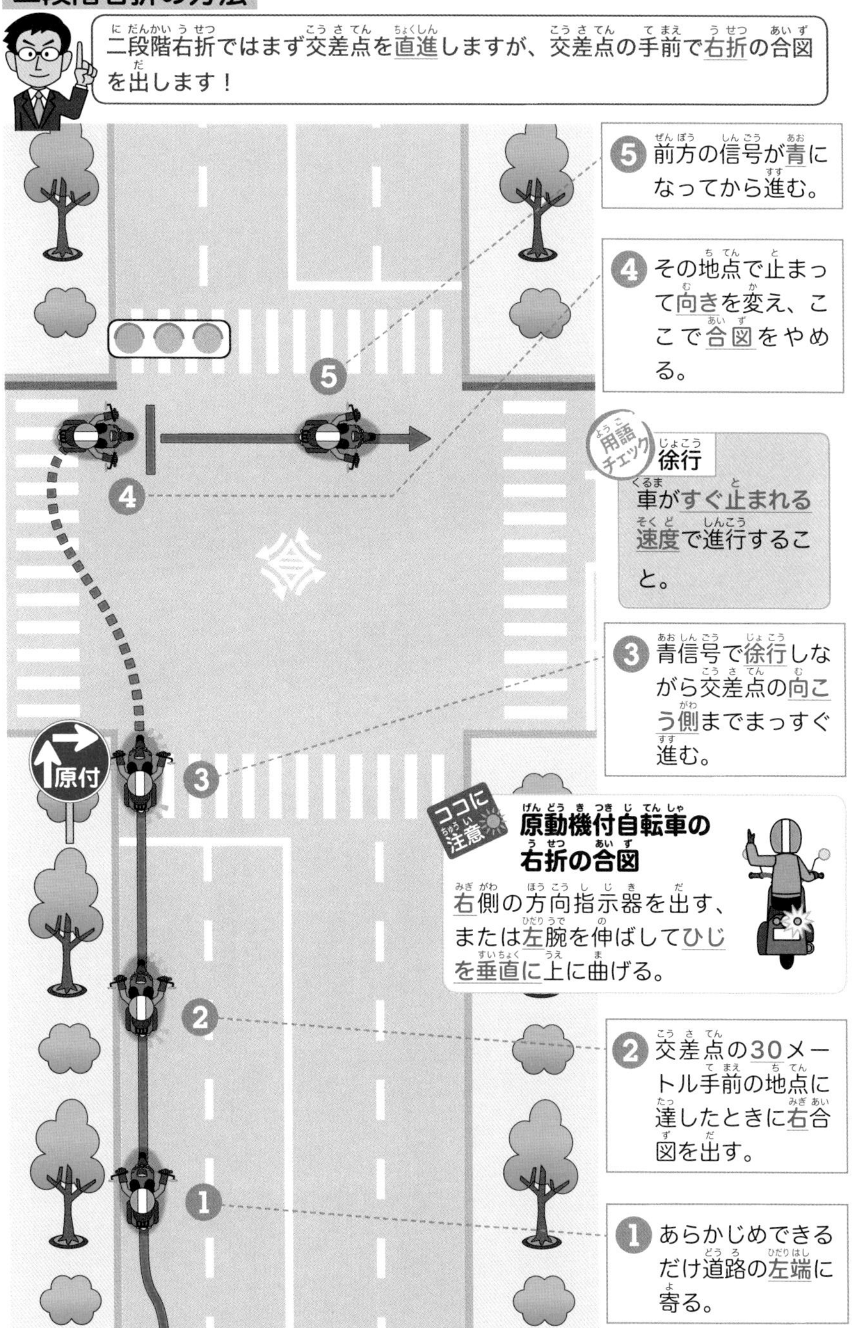

❶ あらかじめできるだけ道路の左端に寄る。

❷ 交差点の30メートル手前の地点に達したときに右合図を出す。

❸ 青信号で徐行しながら交差点の向こう側までまっすぐ進む。

❹ その地点で止まって向きを変え、ここで合図をやめる。

❺ 前方の信号が青になってから進む。

用語チェック

徐行

車がすぐ止まれる速度で進行すること。

ココに注意

原動機付自転車の右折の合図

右側の方向指示器を出す、または左腕を伸ばしてひじを垂直に上に曲げる。

環状交差点は右回り通行。安全な通行方法を覚える

覚える

「環状交差点」とは

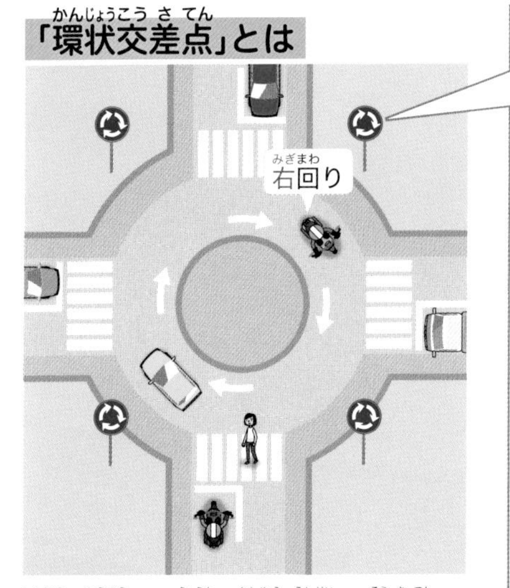

車両が通行する部分が環状（円形）の交差点で、道路標識などにより車両が右回りに通行することが指定されているものをいう。

「環状の交差点における右回り通行」の標識

環状交差点であり、車は右回りで通行しなければならない。

「環状交差点における左折等の方法」の標示

環状交差点で車が通行しなければならない部分を表す。

左折、右折、直進、転回しようとするとき

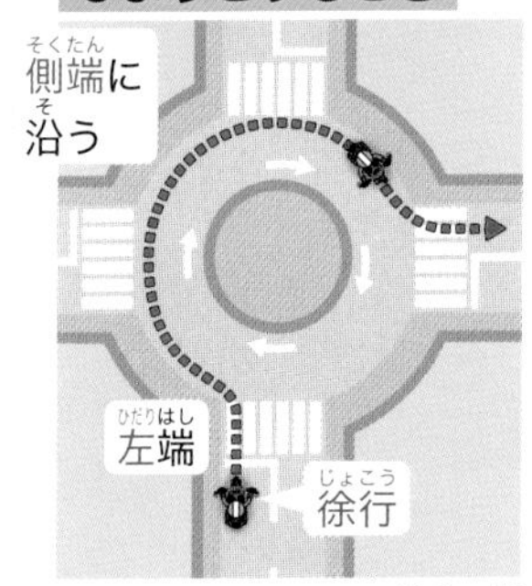

あらかじめできるだけ道路の左端に寄り、環状交差点の側端に沿って徐行しながら通行する（矢印などの標示で通行方法が指定されているときはそれに従う）。

環状交差点に入ろうとするとき

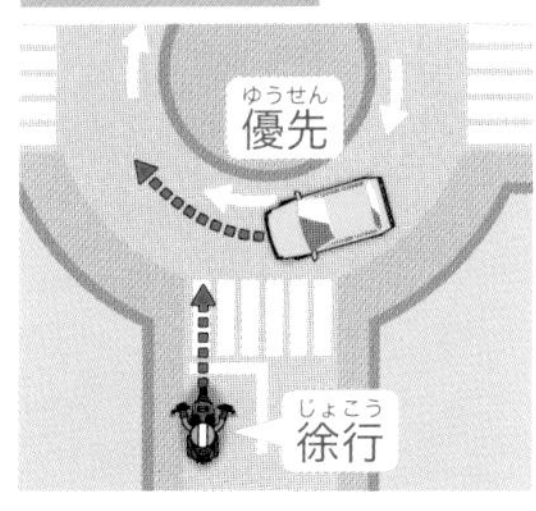

徐行するとともに、環状交差点内を通行する車や路面電車の進行を妨げてはいけない。

環状交差点に入るときは合図の必要はない。

環状交差点から出るとき

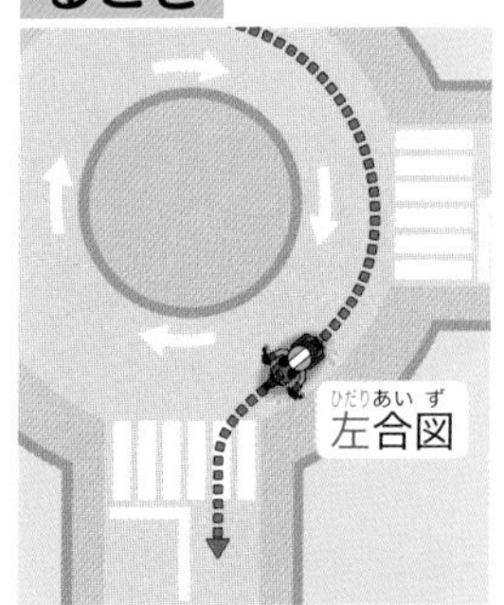

出ようとする地点の直前の出口の側方を通過したとき（入った直後の出口を出る場合は、その環状交差点に入ったとき）に、左側の合図を出す。

優先道路、道幅などによる優先関係をしっかり覚える

交通整理が行われていない交差点とは、信号機などがない道路の交差点をいいます！

交通整理が行われていない交差点の通行方法 NO.16

交差する道路が優先道路のとき

優先道路の
交通優先

徐行して、優先道路を通行する車や路面電車の通行を妨げてはいけない。

交差する道路の幅が広いとき

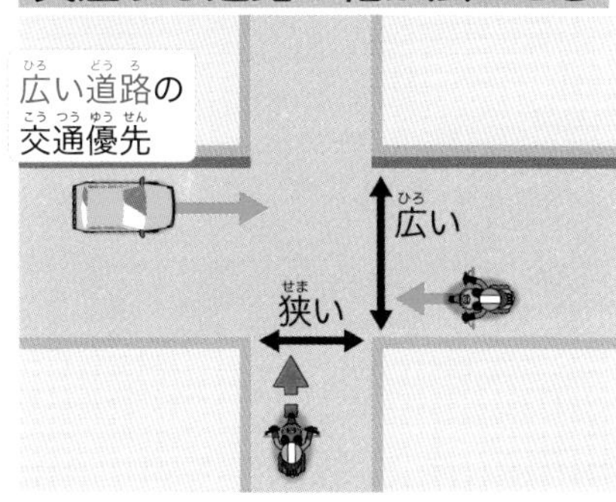

徐行して、幅が広い道路を通行する車や路面電車の通行を妨げてはいけない。

同じような道幅の交差点のとき

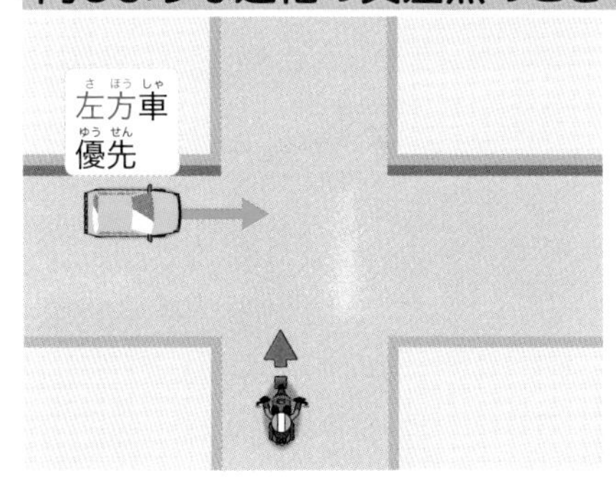

左方から進行してくる車の進行を妨げてはいけない。

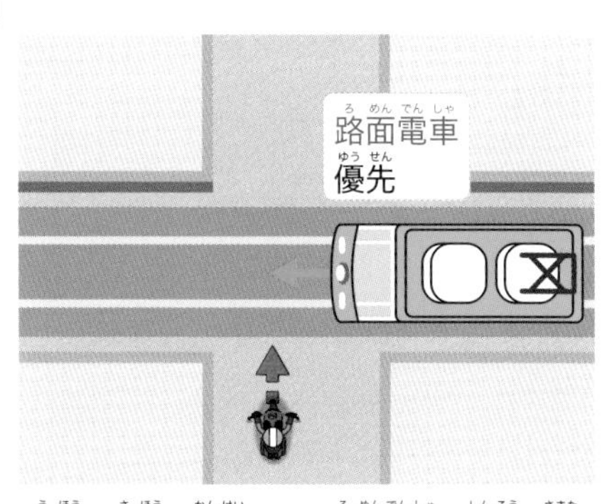

右方・左方に関係なく、路面電車の進行を妨げてはいけない。

左方の交通がつねに優先するわけではない

交通整理が行われていない交差点で左方の車が優先するのは、道幅が同じような道路の場合。道幅が違う場合は、広い道路の交通が優先。

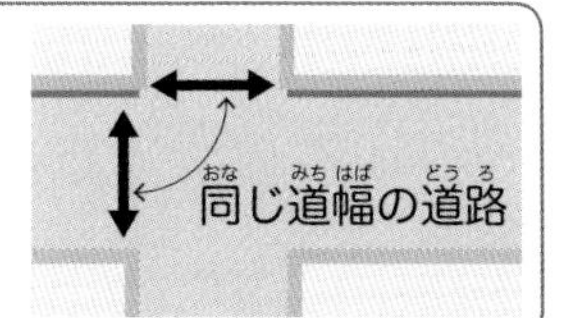

進行方向を指定する標識・標示の意味を覚える

進行方向が指定されている交差点 NO.17

「指定方向外進行禁止」の標識があるとき

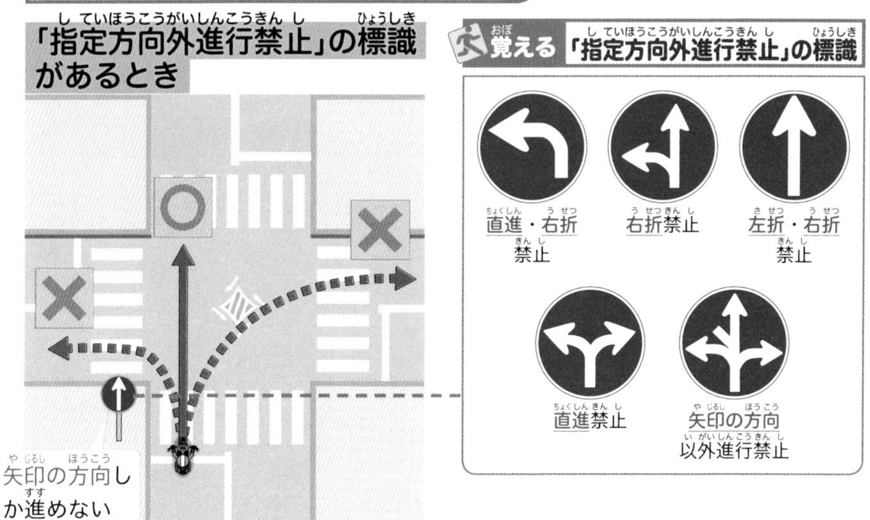

標識の示す方向以外に進行してはいけない。

「進行方向別通行区分」の標識・標示があるとき

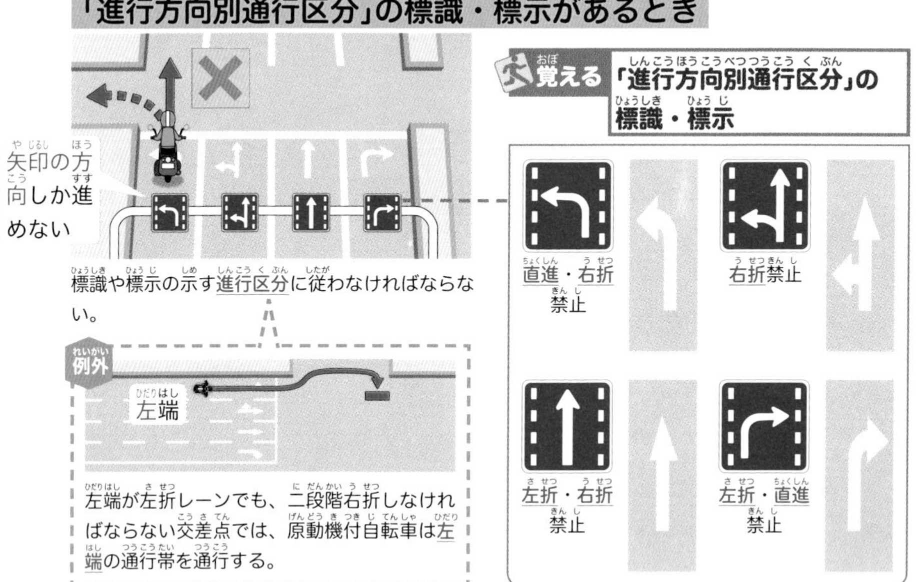

標識や標示の示す進行区分に従わなければならない。

例外

左端が左折レーンでも、二段階右折しなければならない交差点では、原動機付自転車は左端の通行帯を通行する。

ルールを頭にたたきこむ よく出る問題10選 **交差点**

問題文が正しい場合は○、誤っている場合は×で答えましょう。

Q.1 交差点で左折するとき、バックミラーと目視で後方や左側方の安全を確認すれば、左側端から離れて大回りしてもよい。	**A1** × 左側端から離れて大回りすると、対向車に衝突する危険があります。 P.34 No.12
Q.2 交差点で左折する大型自動車の直後を走行する一般原動機付自転車は、巻き込まれないように十分注意しなければならない。	**A2** ○ 大型自動車は内輪差が大きいので、巻き込まれにはとくに注意が必要です。 P.34 No.12
Q.3 一方通行の道路から右折するときは、あらかじめできるだけ道路の右端に寄り、交差点の中心の内側を通行しなければならない。	**A3** ○ 一方通行路では、あらかじめできるだけ道路の右端に寄ります。 P.35 No.13
Q.4 交差点で右折する場合、右折車が直進車より先に交差点に入っているときは、直進車より先に右折できる。	**A4** × 右折車が先に交差点に入っていても、直進車の進行を妨げてはいけません。 P.35 No.13
Q.5 信号機がある片側3車線の交差点で一般原動機付自転車が右折するときは、標識などによる指定がなければ、二段階の方法によって右折しなければならない。	**A5** ○ 片側3車線以上の交差点では、一般原動機付自転車は二段階の方法で右折しなければなりません。 P.36 No.14
Q.6 信号機がない片側2車線の交差点で一般原動機付自転車が右折するときは、原則として、自動車(小型特殊を除く)と同じ方法で右折しなければならない。	**A6** ○ 設問のような交差点では、自動車と同じ小回りの方法で右折しなければなりません。 P.36 No.14
Q.7 環状交差点に入ろうとするときは、必ず一時停止して環状交差点内を通行する車や路面電車の進行を妨げてはならない。	**A7** × 必ずしも一時停止する必要はなく、徐行して車や路面電車の進行を妨げないようにします。 P.38 No.15
Q.8 信号機のない交差点で、交差する道路が優先道路またはその道幅が広いときは、徐行して交差する道路の交通を妨げないようにしなければならない。	**A8** ○ 優先道路または道幅が広い道路が優先で、徐行して交差道路の交通を妨げてはいけません。 P.39 No.16
Q.9 交通整理が行われていない道幅が同じような交差点では、左方の車は右方の車に進路を譲らなければならない。	**A9** × 設問の場合は左方優先で、右方の車は左方の車に進路を譲らなければなりません。 P.39 No.16
Q.10 車両通行帯のある道路で、標識や標示によって進行方向ごとに通行区分が指定されているときは、それに従って通行しなければならない。	**A10** ○ 標識や標示による通行区分に従って通行しなければなりません。 P.40 No.17

重要ルール 5

追い越し・追い抜き

追い越しは危険を伴う行為。手順と禁止場所を覚えましょう！

「追い越し禁止場所」は全部で８か所。１～８を順に覚える

「追い越し」と「追い抜き」の違い NO.18

追い越し

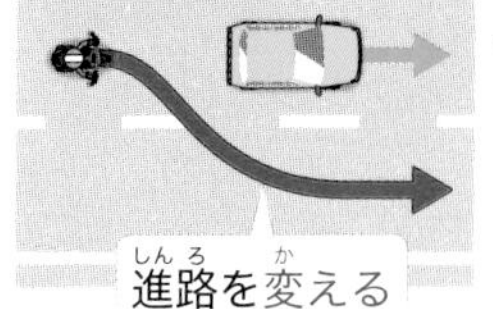

進行中の前車の前方に出るとき、
⬅進路を変えるのが「追い越し」
進路を変えないのが「追い抜き」➡

追い抜き

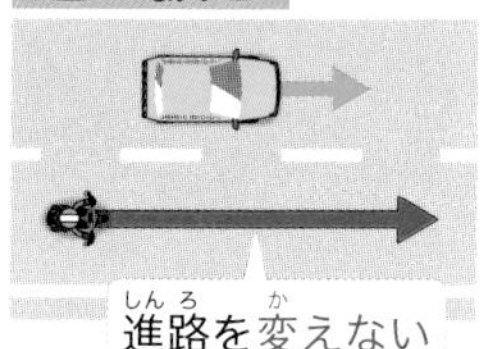

追い越しが禁止されている場所 NO.19

1 「追越し禁止」の標識がある場所

2 道路の曲がり角付近

3 上り坂の頂上付近

4 こう配の急な下り坂

用語チェック こう配の急な坂　おおむね10パーセント（約６度）以上のこう配の坂。

優先道路　交通整理が行われていない（信号機がないなど）道路の交差点で優先する道路のこと。

車両通行帯　「車両通行帯のない」とは、片側1車線のこと。

例外　優先道路を通行している場合

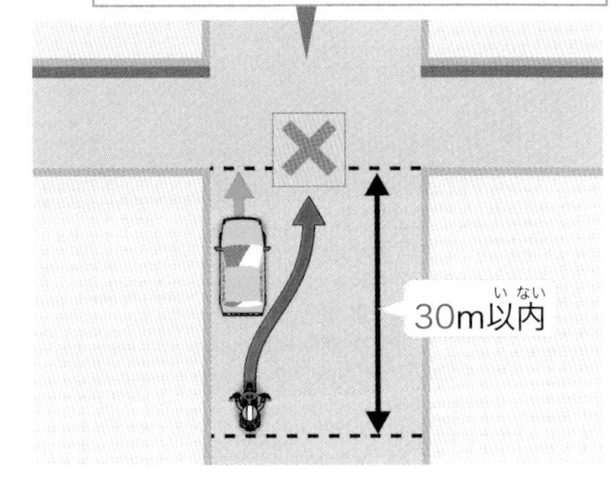

5 車両通行帯のないトンネル

6 交差点と、その手前から30メートル以内の場所

7 踏切と、その手前から30メートル以内の場所

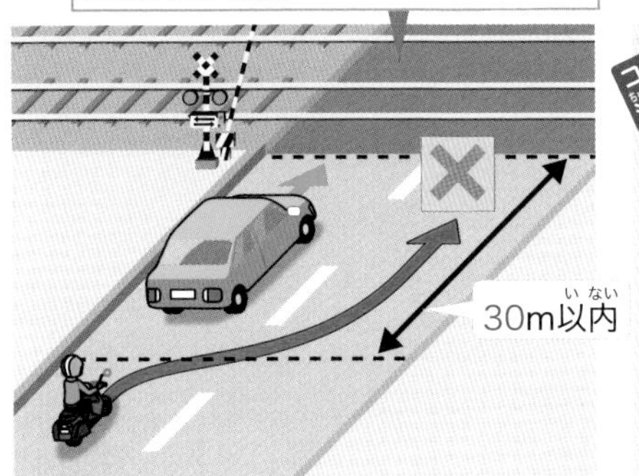

8 横断歩道や自転車横断帯と、その手前から30メートル以内の場所

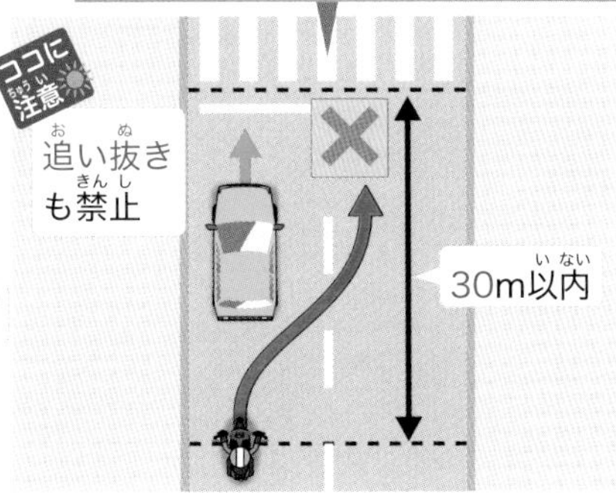

数字が出てくる追い越し禁止場所は、その場所とその手前から30メートル以内。向こう側では禁止されていない！

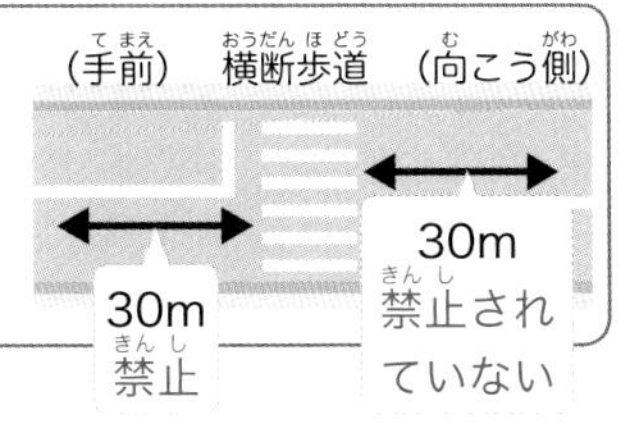

追い越しが禁止されている場合は全部で4つ。1～4の順に覚える

追い越しが禁止されている場合 NO.20

1 追い越しをすると、前の車や対向車の進行を妨げるようなとき

2 前の車が自動車を追い越そうとしているとき(二重追い越し)

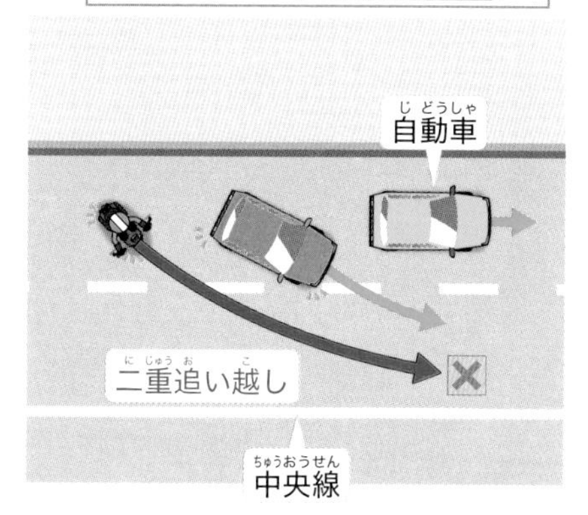

「二重追い越し」の意味を正しく覚える

前の車が原動機付自転車を追い越そうとしているときに前の車を追い越すのは二重追い越しにはならない！

原動機付自転車：自動車ではない(→P.90)

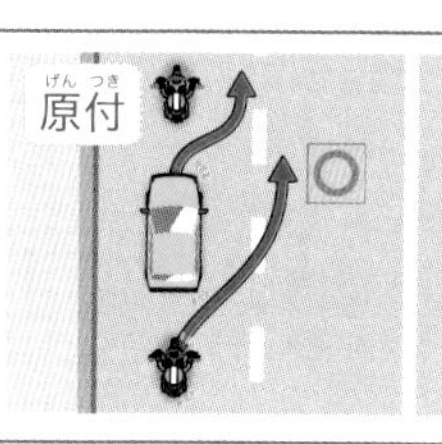

3 前の車が右折などのため右側に進路を変えようとしているとき

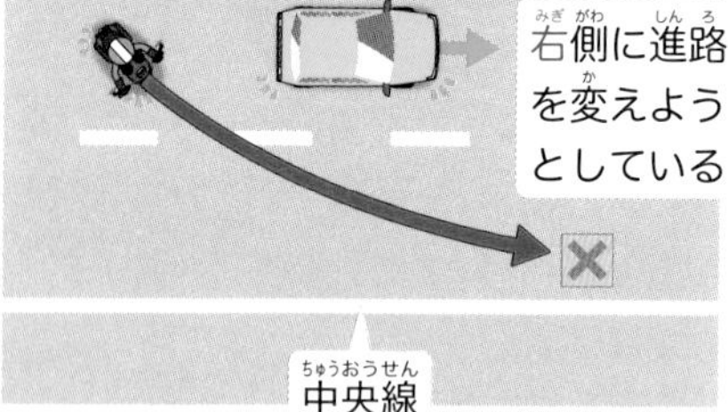

4 後ろの車が自分の車を追い越そうとしているとき

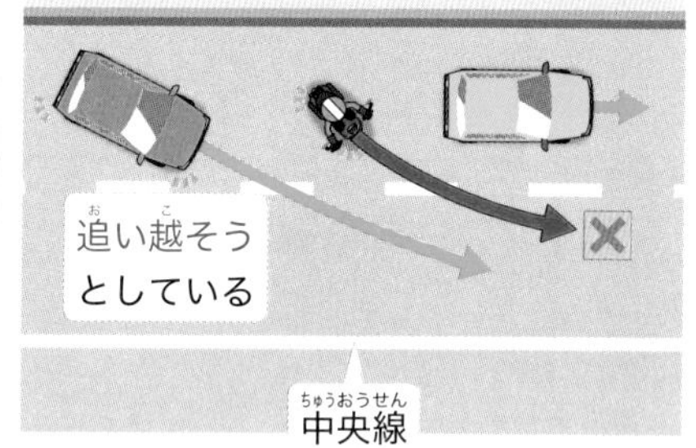

追い越しの方法は車と路面電車で分けて覚える

追い越しの方法 NO.21

車を追い越すとき

原則

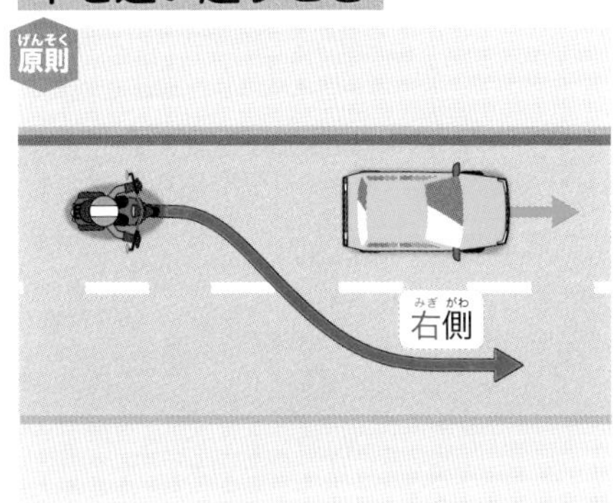

前の車の右側を通行する。

例外

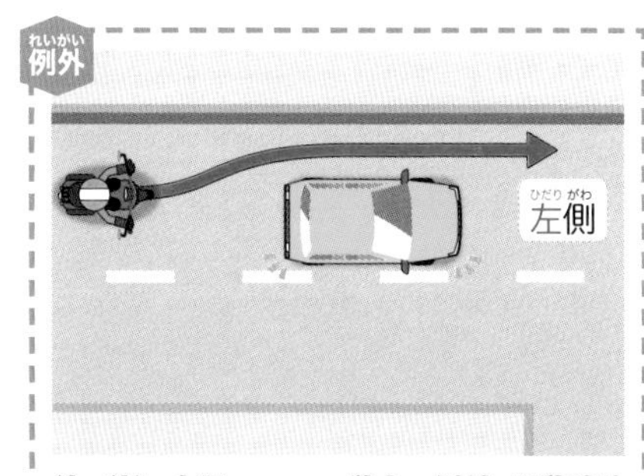

前の車が右折するため道路の中央(一方通行路では右端)に寄っているときは、その左側を通行する。

路面電車を追い越すとき

原則

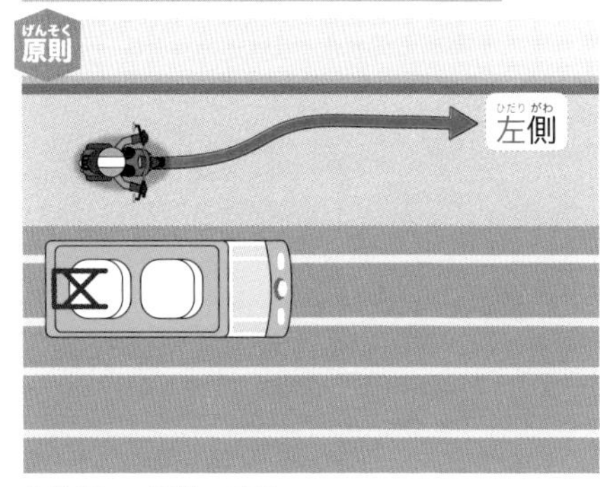

路面電車の左側を通行する。

例外

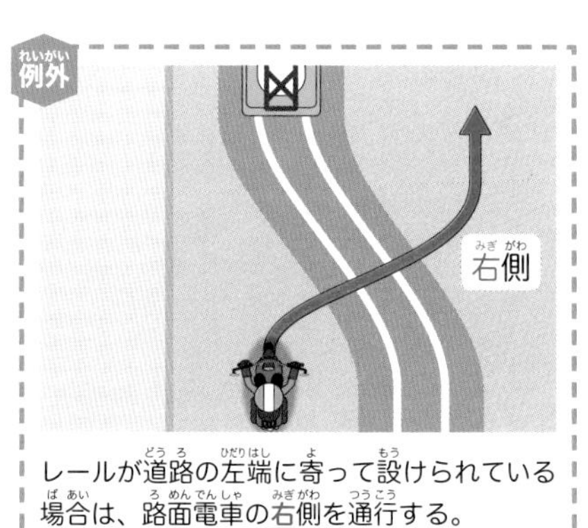

レールが道路の左端に寄って設けられている場合は、路面電車の右側を通行する。

路面電車 道路上に敷かれたレールの上を走る電車。区分では「車など」になる。

追い越しの方法はまず原則を覚えましょう！

車➡右側　路面電車➡左側

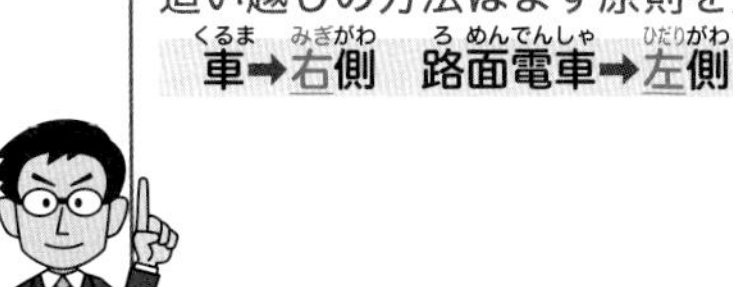

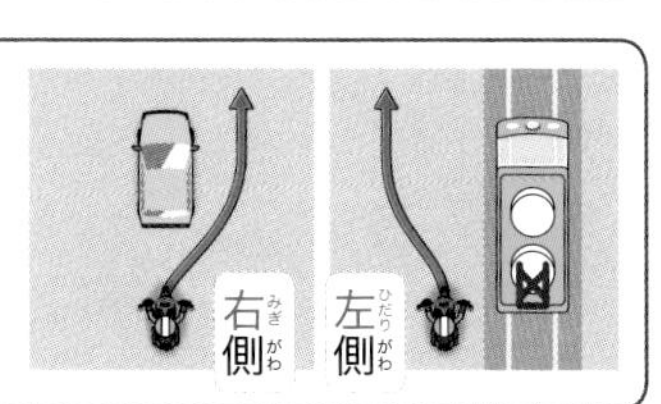

スムーズな追い越しの手順❶〜❼を覚える

追い越しの手順 NO.22

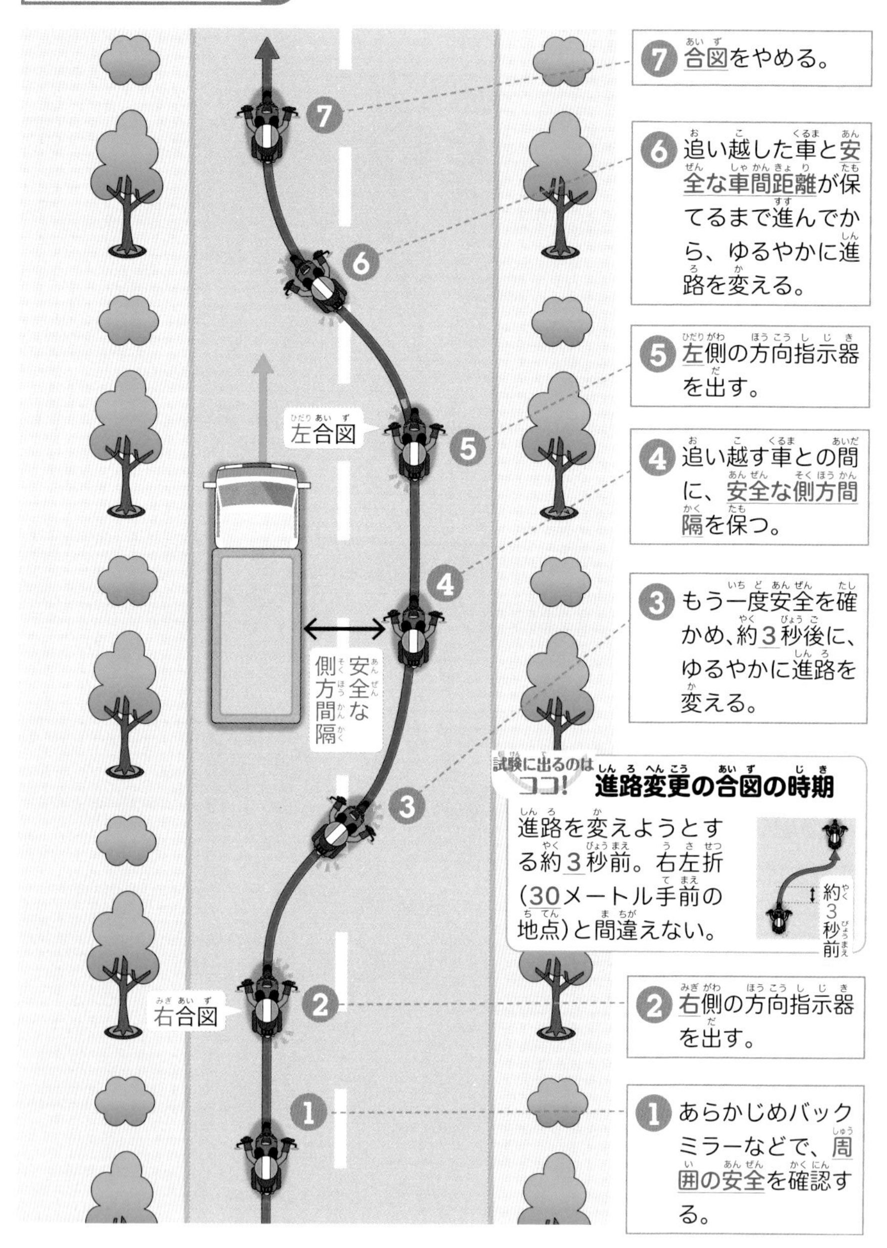

スピード攻略▶

追い越しに関する２つの標識の意味を覚える

追い越し禁止の標識・標示 NO.23

「追越し禁止」の標識

追越し禁止　あり

道路の右側にはみ出す、はみ出さないにかかわらず、追い越しは禁止されている。

補助標識
本標識の意味を補足するもの。

補助標識のあるなしで意味が異なる

「追越しのための右側部分はみ出し通行禁止」の標識

なし

道路の右側にはみ出しての追い越しが禁止されている。

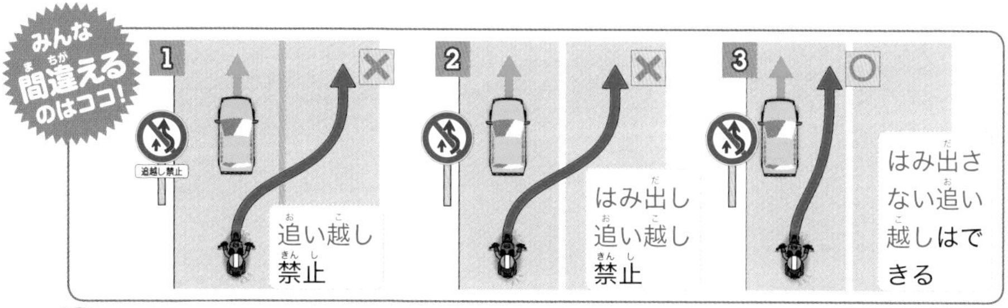

黄色の線が引かれた道路では、その線からはみ出して追い越しをしてはいけません。黄色と白の２本線では黄色の側だけはみ出し追い越し禁止です！

「追越しのための右側部分はみ出し通行禁止」の標示

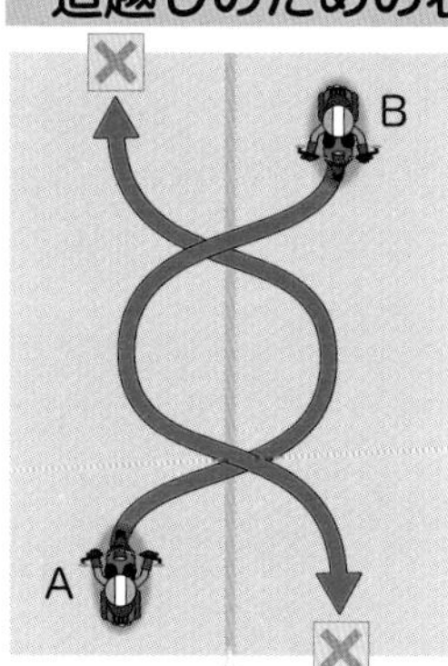

黄色の中央線

A・Bどちらの側も、道路の右側部分にはみ出して追い越しをしてはいけない。

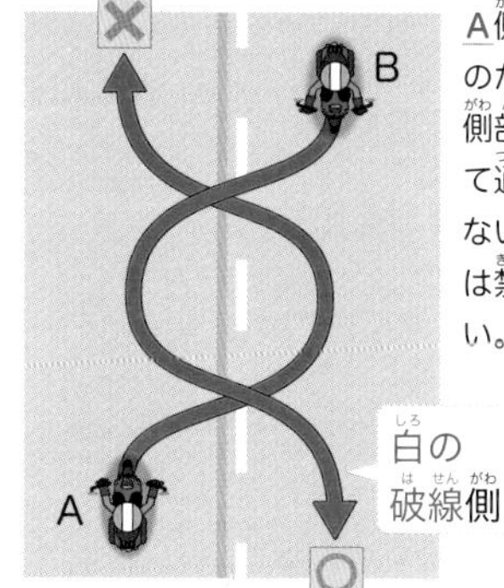

黄色と白の中央線

A側は、追い越しのため、道路の右側部分にはみ出して通行してはいけない。破線側のBは禁止されていない。

ルールを頭にたたきこむ よく出る問題10選 追い越し・追い抜き

問題文が正しい場合は○、誤っている場合は×で答えましょう。

Q1 □□
追い越しとは、車が進路を変えて進行中の前の車の前方に出ることをいう。

A1 ○
進路を変えて進行中の前車の前方に出るのが追い越しです。
P.42 No.18

Q2 □□
こう配の急な上り坂・上り坂の頂上付近・こう配の急な下り坂では、追い越しが禁止されている。

A2 ×
設問のうち、こう配の急な上り坂は追い越し禁止場所ではありません。
P.42 No.19

Q3 □□
トンネルの中は、車両通行帯の有無に関係なく、追い越しが禁止されている。

A3 ×
車両通行帯のあるトンネルの中は、追い越しが禁止されていません。
P.43 No.19

Q4 □□
踏切の手前30メートル以内は追い越し禁止場所であるが、踏切の向こう側30メートル以内での追い越しは禁止されていない。

A4 ○
踏切とその手前30メートル以内が追い越し禁止場所です。
P.43 No.19

Q5 □□
交差点とその手前から30メートル以内は、優先道路を通行している場合を除き、追い越し禁止場所に指定されている。

A5 ○
設問の場所は、優先道路を通行している場合を除き、追い越しが禁止されています。
P.43 No.19

Q6 □□
一般原動機付自転車を追い越そうとしている普通自動車を追い越す行為は、二重追い越しにはならない。

A6 ○
自動車を追い越そうとしている車を追い越す行為が二重追い越しとなり、禁止されています。
P.44 No.20

Q7 □□
前車を追い越そうとしたとき、後車が追い越しを始めたので、追い越しを中止した。

A7 ○
後ろの車が自車を追い越そうとしているときは、前車を追い越してはいけません。
P.44 No.20

Q8 □□
車が他の車を追い越すとき、前車の左側に十分な間隔があれば、左側から追い越してもよい。

A8 ×
車を追い越すときは、原則として追い越す車の右側を通行します。
P.45 No.21

Q9 □□
前車を追い越して左に進路を変えるときは、左側の方向指示器を操作し、前車の前方に出たらすぐに左に進路を変える。

A9 ×
追い越した車の前に十分出てから、ゆるやかに左へ進路を変えます。
P.46 No.22

Q10 □□
図の標識がある道路では、追い越しが禁止されている。

A10 ×
「追越しのための右側部分はみ出し通行禁止」を表し、右側にはみ出さない追い越しはできます。
P.47 No.23

重要ルール 6

進路変更

スピード攻略

「進路変更禁止」の標示の意味を覚える

進路変更してはいけないとき NO.24

1 正当な理由がない進路変更

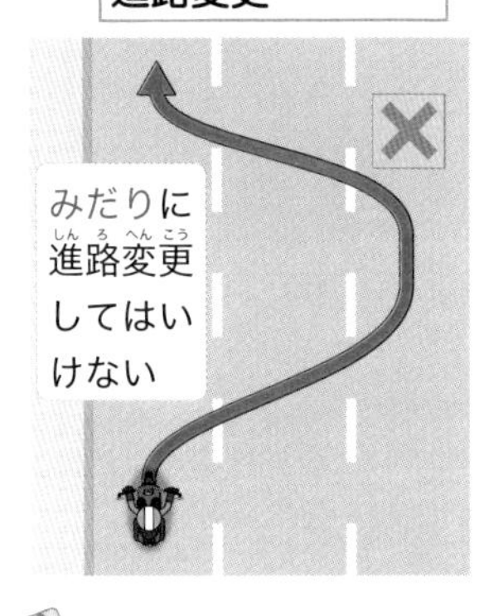

2 後続の車が急ブレーキや急ハンドルで避けなければならないとき

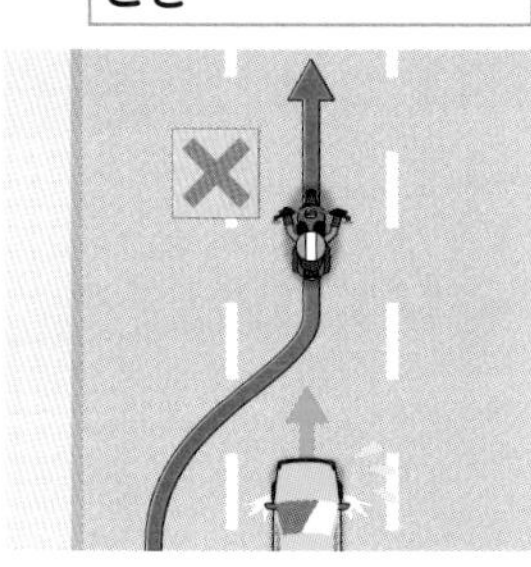

3 黄色の線がある道路で、その線を越える進路変更

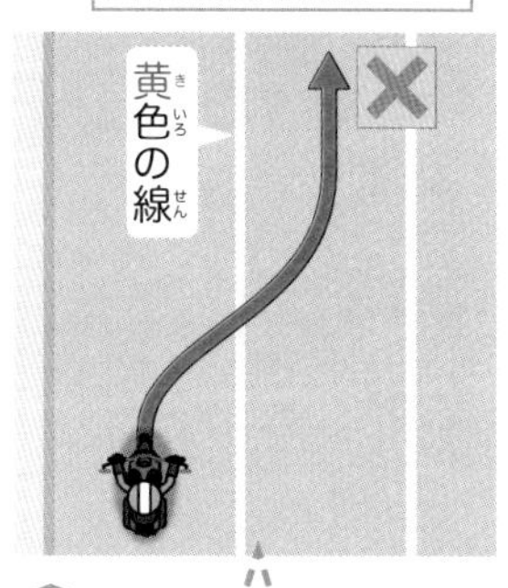

覚える 「進路変更禁止」の標示

道路に引かれた線には白と黄色がありますが、黄色の線は越えてはいけません！

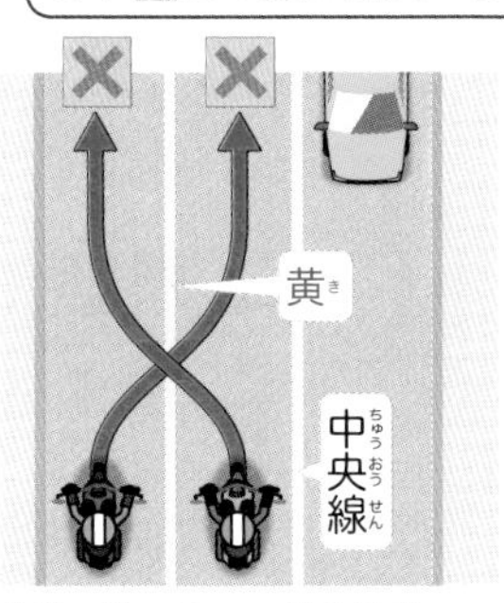

黄色の線を越えて進路変更できない。

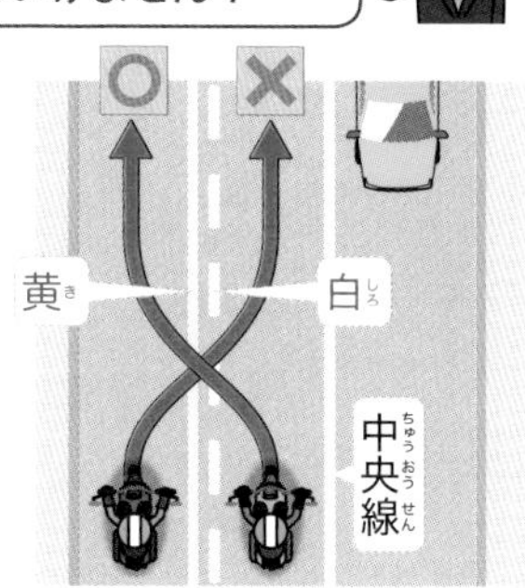

黄色と白の線で区画されている場合は、黄色の線が引かれた側から進路変更できない。

例外 黄色の線を越えて進路変更できるとき

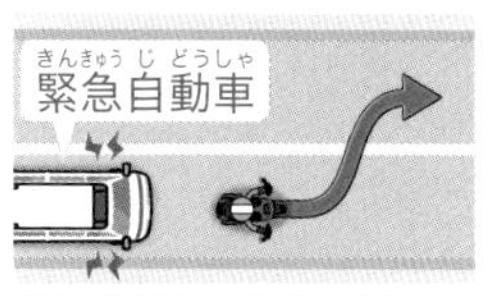

緊急自動車に進路を譲るとき。

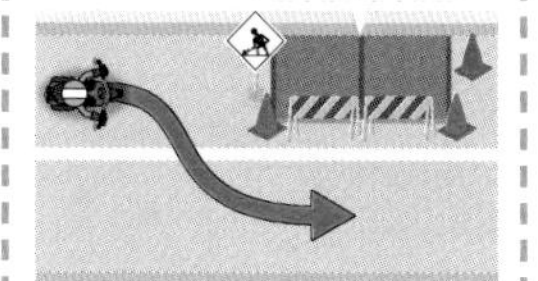

道路工事などでやむを得ないとき。

「車両横断禁止」と「転回禁止」の意味を覚える

横断・転回が禁止されているとき NO.25

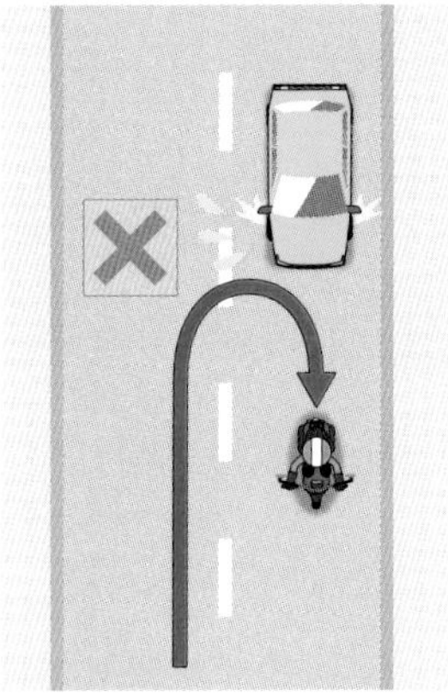

他の車や歩行者などの正常な進行を妨げるおそれがあるとき。

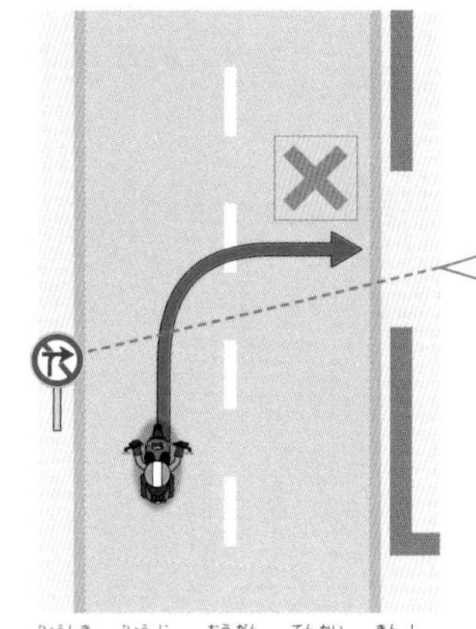

標識・標示で横断や転回が禁止されているとき。

覚える

「車両横断禁止」の標識

右折を伴う道路の右側への横断が禁止。

「転回禁止」の標識・標示

ルールを頭にたたきこむ よく出る問題4選 進路変更

問題文が正しい場合は○、誤っている場合は×で答えましょう。

Q1 □□
運転中は、みだりに進路を変えてはならない。

A1 ○
みだりに進路を変えると他の通行に危険を与え迷惑をかけるので、してはいけません。
P.49 No.24

Q2 □□
黄色の線で区画されている車両通行帯では、緊急自動車が接近してきても、通行帯を変えてまで緊急自動車に進路を譲らなくてもよい。

A2 ×
緊急自動車に進路を譲るときは、通行帯を変えてもかまいません。
P.49 No.24

Q3 □□
図の標示のあるところでは、車は矢印のように進路を変更することができる。

A3 ×
車の進行している側に黄色の線があるので、矢印のように進路変更できません。
P.49 No.24

Q4 □□
他の交通の妨害となるときは、法令で禁止されていない場所であっても、横断や転回をしてはならない。

A4 ○
他の交通の妨害となるときは、横断や転回をしてはいけません。
P.50 No.25

重要ルール 7 駐停車

スピード攻略

駐車・停車になる４つのケースをそれぞれ覚える

「駐車」と「停車」の違い NO.26

	「駐車」になる場合			「停車」になる場合	
1	客(人)待ち、荷待ちによる停止。		1	人の乗り降りのための停止。	
2	5分を超える荷物の積みおろしのための停止。		2	5分以内の荷物の積みおろしのための停止。	
3	運転者が車から離れていて、すぐに運転できない状態での停止。		3	運転者が車から離れない状態での停止。	
4	故障などによる継続的な停止。		4	運転者が車から離れていても、すぐに運転できる状態での短時間の停止。	

範囲を示すことばには注意しましょう。「以内、以上・以下」はその数字を含み、「未満・超える」はその数字を含みません！

試験に出るのはココ！

「客(人)待ち、荷待ち」は駐車、「人の乗り降り」は停車になり、ともに時間は関係ない。

6か所中5か所が数字が出てくる禁止場所

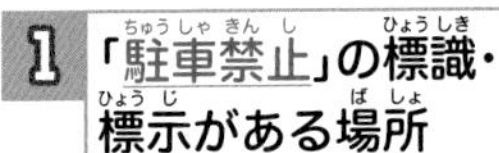

駐車が禁止されている場所 NO.27

1 「駐車禁止」の標識・標示がある場所

2 火災報知機から1メートル以内の場所

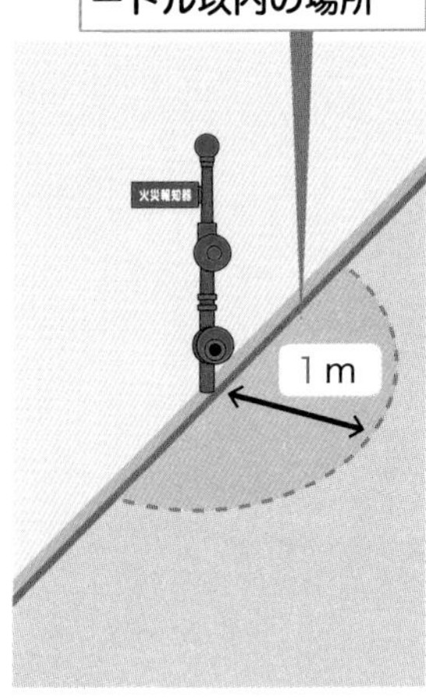

3 駐車場、車庫などの自動車用の出入り口から3メートル以内の場所

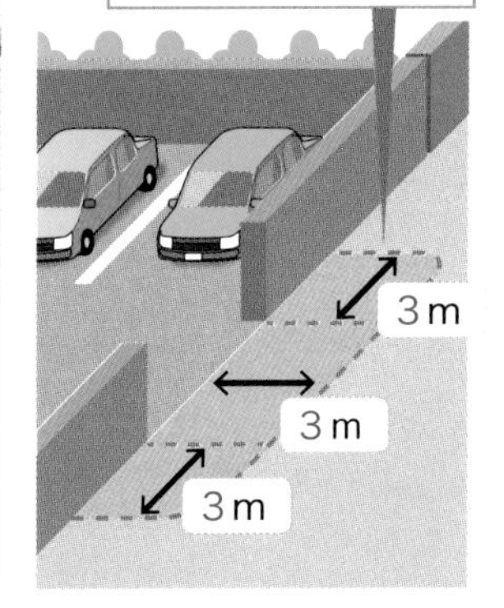

4 道路工事の区域の端から5メートル以内の場所

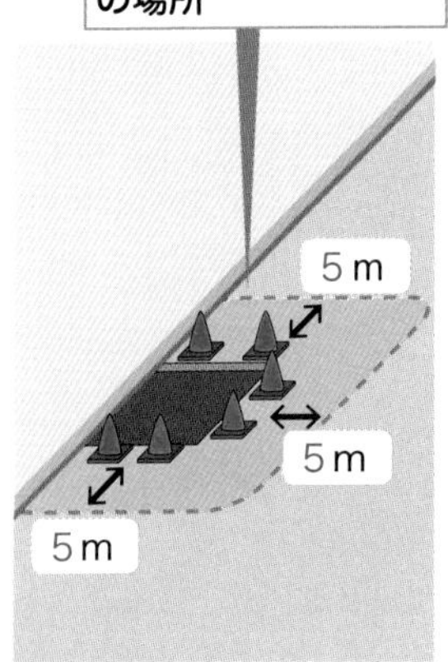

5 消防用機械器具の置場、消防用防火水槽、これらの道路に接する出入り口から5メートル以内の場所

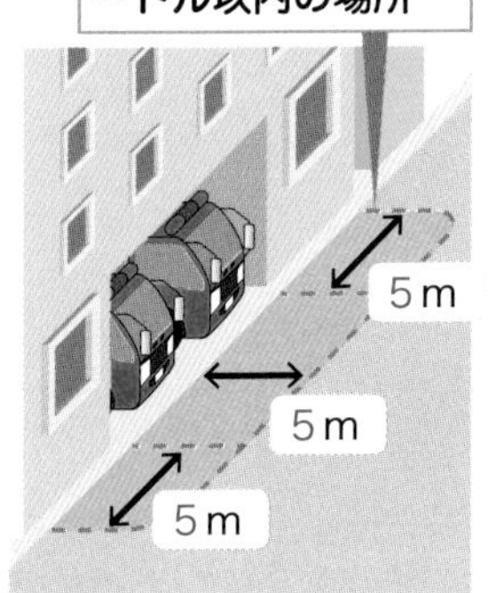

6 消火栓、指定消防水利の標識が設けられている位置や、消防用防火水槽の取り入れ口から5メートル以内の場所

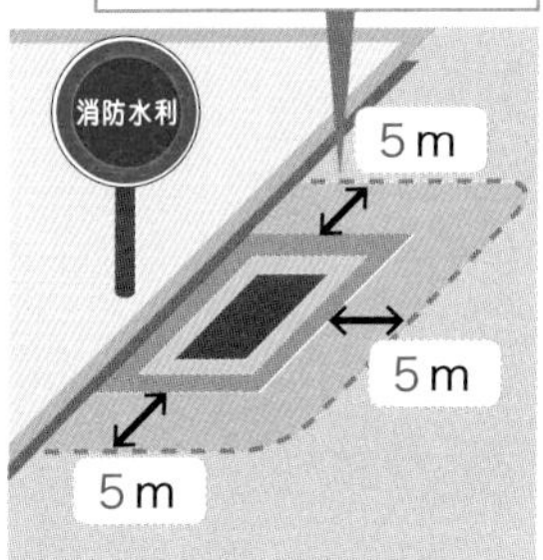

禁止場所は1メートル・3メートル以内が各1か所、あとの3か所は5メートル以内です！

数字が出てくる禁止場所は5メートルと10メートル以内

駐停車が禁止されている場所 NO.28

1 「駐停車禁止」の標識・標示がある場所

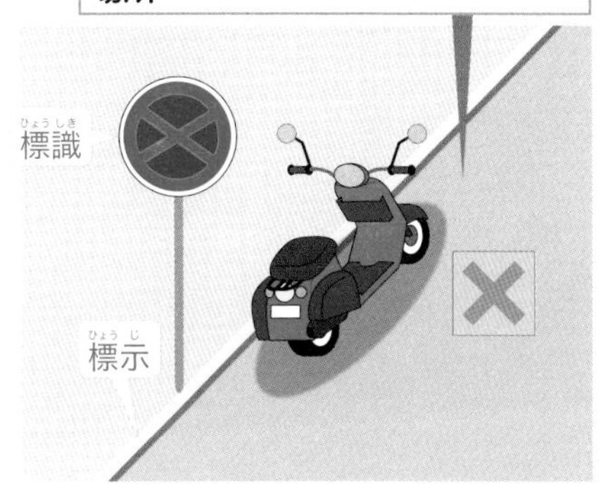

2 軌道敷内

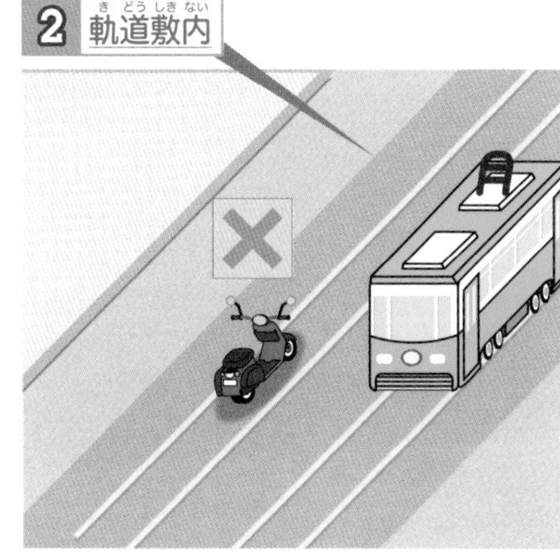

3 坂の頂上付近やこう配の急な坂

4 トンネル内

みんな間違えるのはココ!

「追い越し禁止場所」と混同しない

こう配の急な坂やトンネルは「追い越し禁止場所」と「駐停車禁止場所」を間違えないようにしよう。

こう配の急な坂

下り坂だけ追い越し禁止、
上り・下りにかかわらず駐停車禁止

トンネル

車両通行帯のない道路で追い越し禁止、
すべて駐停車禁止

5 交差点と、その端から5メートル以内の場所

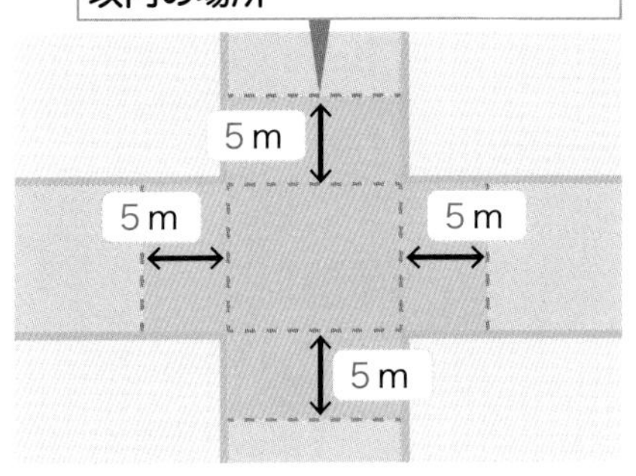

6 道路の曲がり角から5メートル以内の場所

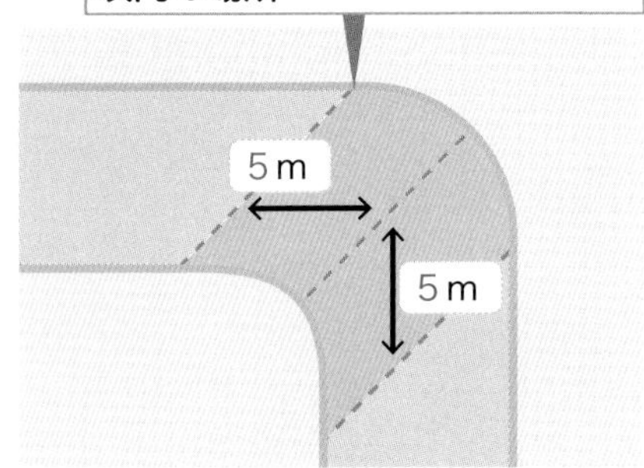

7 横断歩道や自転車横断帯と、その端から前後に5メートル以内の場所

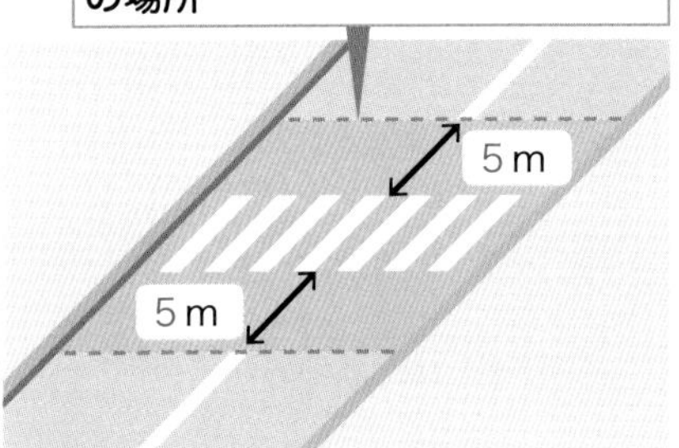

8 踏切と、その端から前後に10メートル以内の場所

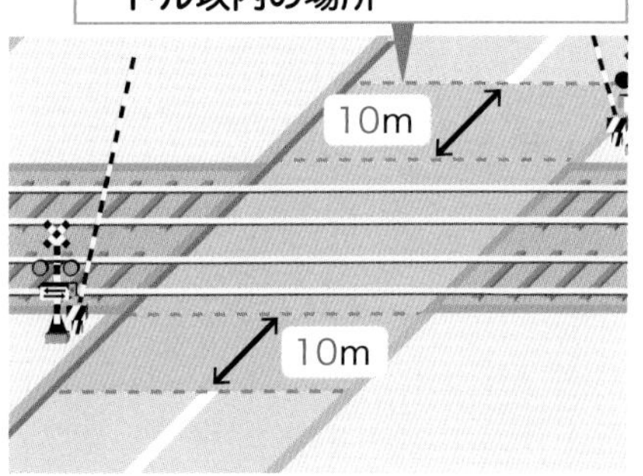

9 安全地帯の左側と、その前後に10メートル以内の場所

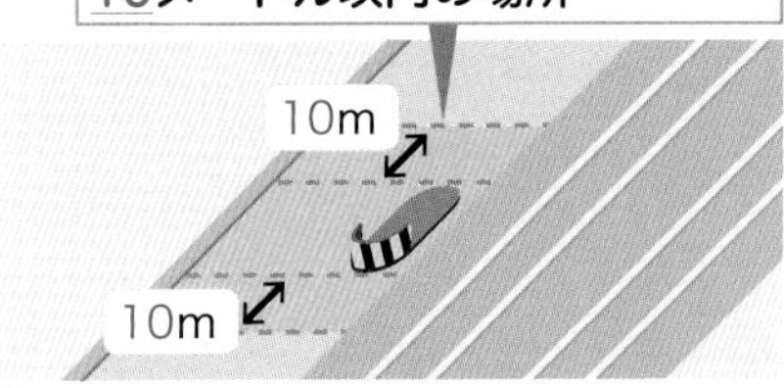

10 バス、路面電車の停留所の標示板(柱)から10メートル以内の場所(運行時間中に限る)

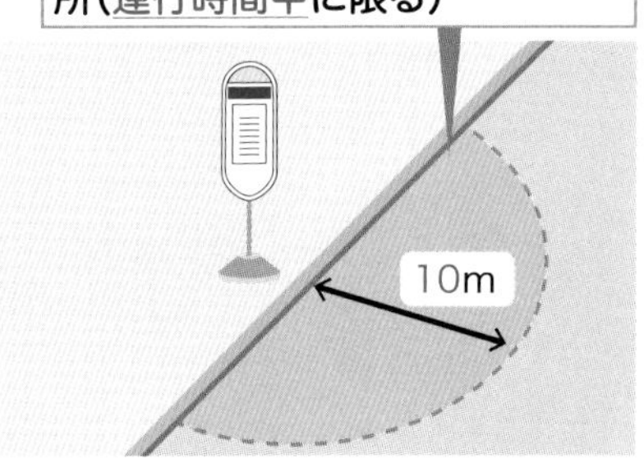

用語チェック

安全地帯 歩行者の安全を確保するための場所。

駐停車禁止場所は、「その手前から」ではなく、「その端から」「前後で」禁止になります。

余地を残さずに駐車できる2つの例外を覚える

駐車余地 NO.29

車の右側の道路上に3.5メートル以上の余地がない場所では、駐車してはいけない。

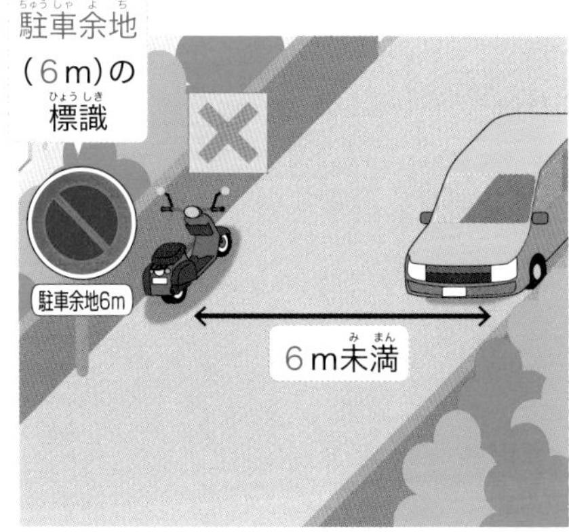

標識で余地が指定されているときは、車の右側に示された長さ(6m)以上の余地をとらなければならない。

例外 余地がなくても駐車できるとき

1 荷物の積みおろしのため、運転者がすぐ運転できるとき

2 傷病者を救護するため、やむを得ないとき

駐車したときの余地は、他の車が通行できるようにするためですので、車の右側に通行できる分の余地を残さなければならないのです！

路側帯がある道路での駐停車は幅や線の種類に注意

駐停車の方法 NO.30

用語チェック
路側帯 歩行者の通行のためや、車道の効用を保つため、歩道のない道路に白線によって区分された道路の端の帯状の部分。

歩道や路側帯がない道路での駐停車

道路の左端に沿う。

歩道がある道路での駐停車

車道の左端に沿う。

路側帯がある道路での駐停車

1 幅が0.75メートル以下の路側帯

車道の左端に沿う。

2 幅が0.75メートルを超える白線1本の路側帯

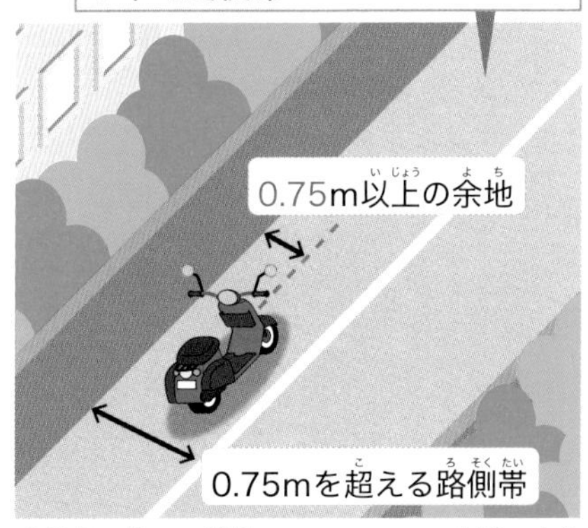

路側帯に入り、左側に0.75メートル以上の余地を残す。

3 実線と破線の路側帯

実線と破線の路側帯は駐停車禁止路側帯なので、車道の左端に沿う。

4 実線２本の路側帯

実線２本の路側帯は歩行者用路側帯なので、車道の左端に沿う。

試験に出るのはココ！ ２本の路側帯の意味

- **駐停車禁止路側帯(実線と破線)**
  車は標示内に入って駐停車できない。
- **歩行者用路側帯(実線２本)**
  車は標示内に入って駐停車できない。歩行者が通行できる。

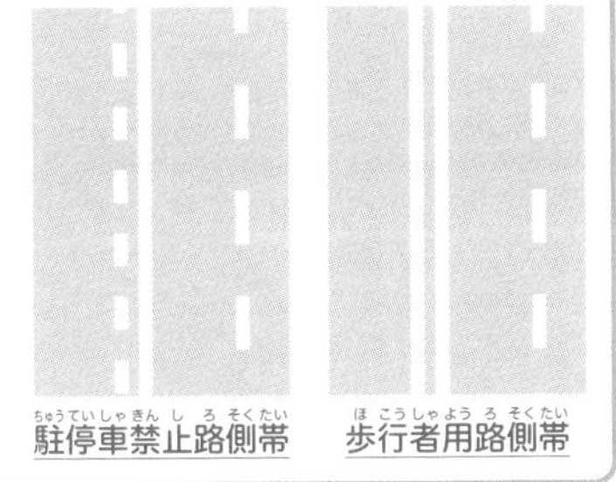

駐停車禁止路側帯　歩行者用路側帯

二重駐停車の禁止

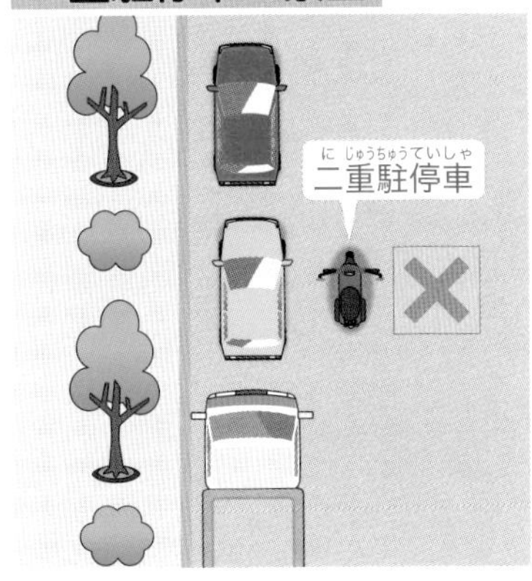

駐停車している車に並んで駐停車してはいけない。

標識や標示で駐停車の方法が指定されているとき

平行駐車
道路の側端に対して、平行に駐車する。

直角駐車
道路の側端に対して、直角に駐車する。

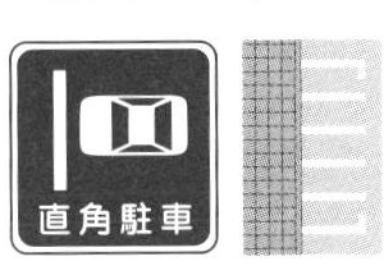

斜め駐車
道路の側端に対して、斜めに駐車する。

標識　標示

道路の同じ場所に止め続けるのはダメ。その時間を覚える

駐車時間の制限 NO.31

道路を車庫代わりに使用してはいけない。

道路の同じ場所に引き続き、昼間は12時間以上、夜間は8時間以上駐車してはいけない（特定の村の区域内の道路を除く）。

違法駐車の禁止 NO.32

違法に駐車している車に対しては、「放置車両確認標章」が取り付けられることがある。運転者はこの標章を取り除いて運転できるが、放置違反金を納付しなければならない。

警察官などから車の移動を命じられることがある。その場合、ただちに車を移動しなければならない。

危険防止と盗難防止の方法を覚える

車から離れるときの措置 NO.33

危険防止のための措置

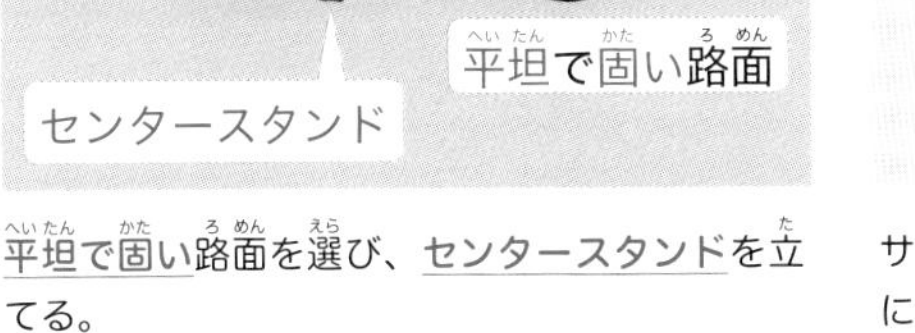

平坦で固い路面を選び、センタースタンドを立てる。

サイドスタンドで止める場合は、ギアを「ロー」に入れ、ハンドルを左に切る。

盗難防止のための措置

エンジンを止め、ハンドルをロックし、エンジンキーを携帯する。

車輪ロック装置を取り付けて施錠する。

車から離れるときは、転倒などの危険がないように、また盗まれたりしないように対策することが大切です！

ルールを頭にたたきこむ よく出る問題10選 駐停車

問題文が正しい場合は○、誤っている場合は×で答えましょう。

Q.1 駐車とは、車が継続的に停止することや、運転者が車から離れていてすぐに運転できない状態で停止することをいう。	**A1** ○ 客待ち、荷待ち、5分を超える荷物の積みおろし、故障なども駐車になります。 P.51 No.26
Q.2 駐車場の出入り口から3メートル以内の場所は、駐停車が禁止されている。	**A2** × 設問の場所は駐車禁止であり、停車をすることはできます。 P.52 No.27
Q.3 こう配の急な坂は、上りも下りも駐停車禁止場所である。	**A3** ○ こう配の急な上り坂、こう配の急な下り坂は、ともに駐停車禁止場所に指定されています。 P.53 No.28
Q.4 自転車横断帯とその端から前後10メートル以内では、駐停車をしてはならない。	**A4** × 10メートル以内ではなく、5メートル以内の場所が駐停車禁止です。 P.54 No.28
Q.5 車の右側の道路上に3.5メートル以上の余地がなくなるような場所では、どんな場合であっても駐車してはいけない。	**A5** × 荷物の積みおろしのため運転者がすぐに運転できるときと、傷病者を救護するときは、駐車できます。 P.55 No.29
Q.6 白線1本の路側帯の設けられている場所で駐停車するときは、左側に0.75メートル以上の余地をあければ、路側帯の中へ入って駐停車することができる。	**A6** ○ 左側に0.75メートル以上の余地をあければ、路側帯の中へ入って駐停車できます。 P.56 No.30
Q.7 図の路側帯は、軽車両の通行はできるが、車が中に入って駐停車することは禁止されている。	**A7** × 「歩行者用路側帯」なので、軽車両の通行と路側帯の中に入っての駐停車は禁止されています。 P.57 No.30
Q.8 道路上に駐車する場合、同じ場所に引き続き12時間以上、夜間は8時間以上駐車してはならない（特定の村の区域内の道路を除く）。	**A8** ○ 昼間は12時間以上、夜間は8時間以上、同じ場所に引き続き駐車してはいけません。 P.58 No.31
Q.9 違法に駐車している車に対しては、「放置車両確認標章」が取り付けられることがあり、その車の使用者は放置違反金の納付を命じられる。	**A9** ○ 標章が取り付けられると、使用者に対して放置違反金の納付を命じられます。 P.58 No.32
Q.10 一般原動機付自転車を駐車するときは、ハンドルをロックしたり、車輪ロック装置を取り付けたりするなど盗難防止に努める。	**A10** ○ 設問のような措置をして、盗難防止に努めます。 P.59 No.33

重要ルール 8

速度・ブレーキ

最高速度と徐行のルールを正しく覚えましょう！

原動機付自転車の最高速度は時速30キロメートル

法定速度と規制速度 NO.34

法定速度

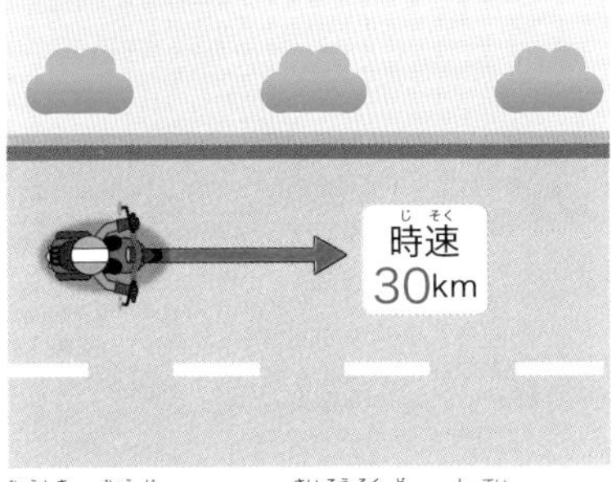

標識や標示によって最高速度が指定されていない道路での最高速度のこと。

規制速度

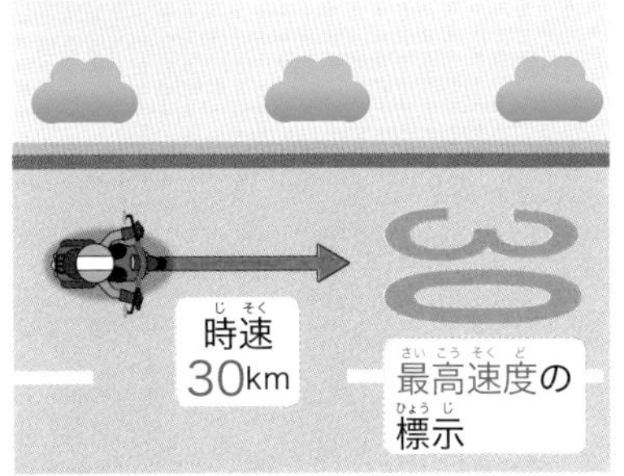

標識や標示によって最高速度が指定されている道路での最高速度のこと。

自動車・原動機付自転車の法定速度

自動車	時速60キロメートル
原動機付自転車	時速30キロメートル
原動機付自転車でリヤカーなどをけん引しているとき	時速25キロメートル

けん引

他の車をロープなどで引っ張ること。

覚える 「最高速度」の標識・標示

40

上記、右記の場合、自動車の最高速度は時速40キロメートル、原動機付自転車は時速30キロメートル。

原動機付自転車は「最高速度」の数字に注意

最高速度の標識や標示が時速30キロメートルを超える場合でも、原動機付自転車は時速30キロメートルを超えて運転してはいけない。

徐行場所は全部で5か所。1～5を順に覚える

「徐行」の意味 NO.35

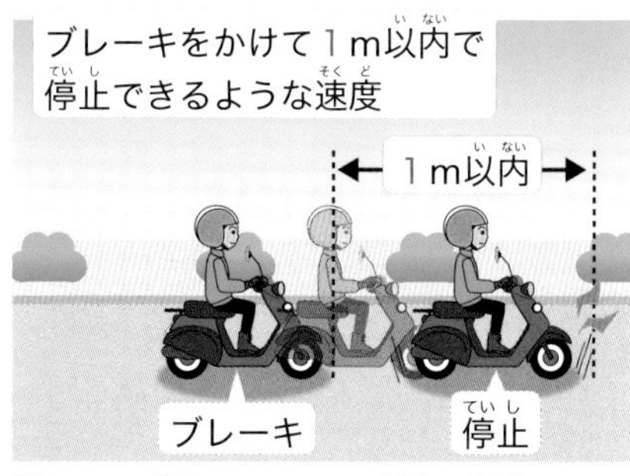

車がすぐに停止できるような速度で進行すること。

具体的には

ブレーキをかけてからおおむね1メートル以内で停止できるような速度。

目安の速度

時速10キロメートル以下の速度。

時速30キロメートルで走行中、速度を半分に落としても徐行したことにはなりません！

徐行しなければならない場所 NO.36

1 「徐行」の標識がある場所

2 左右の見通しがきかない交差点

3 道路の曲がり角付近

例外

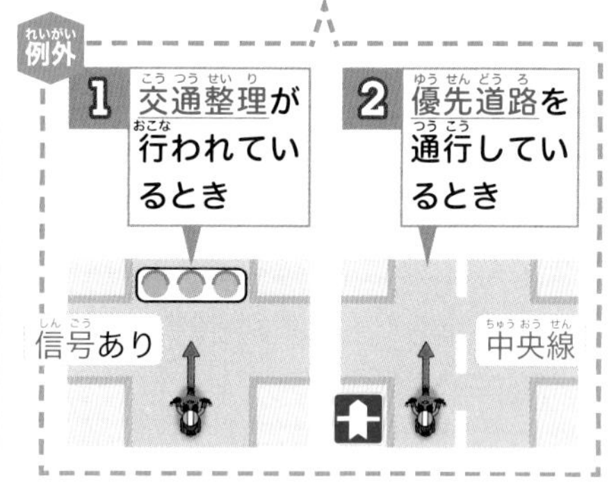

4 上り坂の頂上付近

5 こう配の急な下り坂

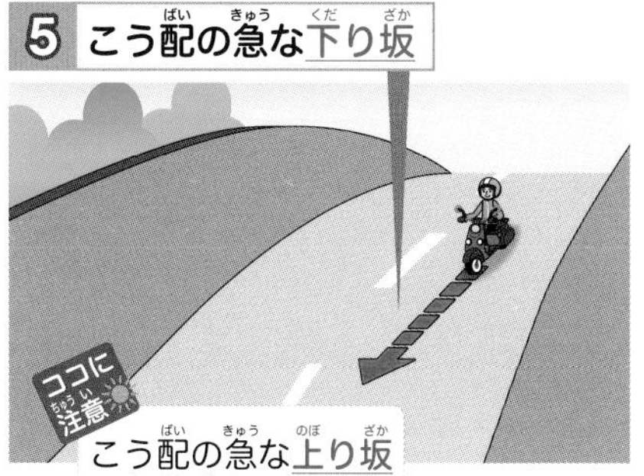

こう配の急な上り坂は徐行場所ではない

停止距離はブレーキをかけてから停止するまでの距離

ブレーキをかけても車はすぐには止まりません！

停止距離の意味 NO.37

空走距離 ＋ **制動距離** ＝ **停止距離**

空走距離：運転者が危険を感じてブレーキをかけ、実際にブレーキが効き始めるまでに車が走る距離。

制動距離：ブレーキが効き始めてから車が完全に停止するまでに走る距離。

停止距離：危険を感じてブレーキをかけ、車が完全に停止するまでに走る距離。

空走・制動・停止距離の特性 NO.38

運転者が疲れていると、危険を認知してから判断するまでに時間がかかるので空走距離が長くなる。

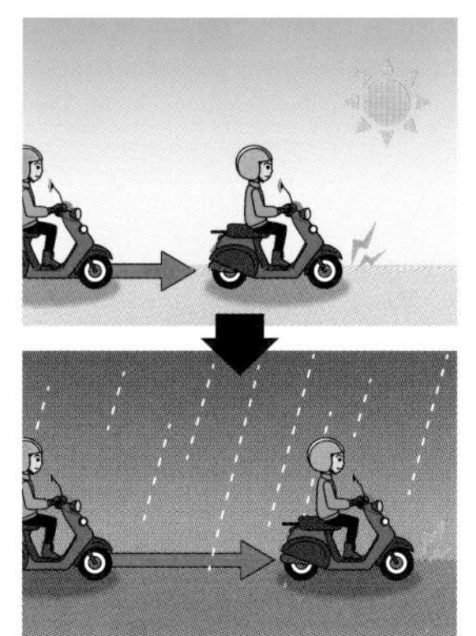

ぬれた路面を走行するときや、重い荷物を積んでいるときは、制動距離が長くなる。

ぬれた路面を走行するときでタイヤがすり減っているときは、停止距離が2倍程度長くなる。

ブレーキをかける方法には3種類ある

安全な速度と車間距離 NO.39

安全な速度

制限速度の範囲内で、道路や交通の状況、天候・明るさなどを考えたゆとりのある速度。

法定速度＝安全な速度ではない

安全な車間距離

前の車が急に止まっても追突しないような余裕のある距離。停止距離以上の距離が目安。

二輪車のブレーキをかける方法 NO.40

1 前輪ブレーキ

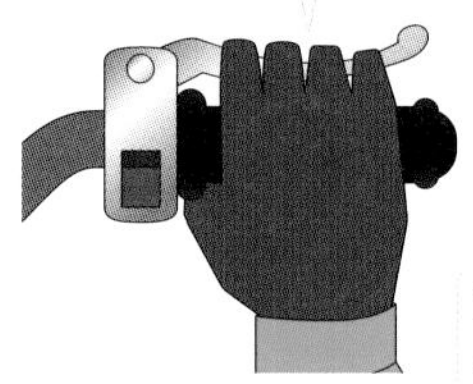

ブレーキレバーを使う。

2 後輪ブレーキ

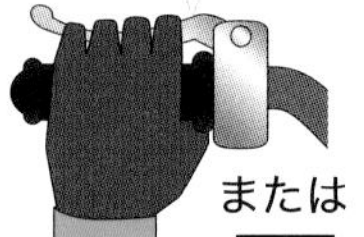

ブレーキレバー、またはブレーキペダルを使う。

3 エンジンブレーキ

スロットル(アクセル)を戻す、またはシフトダウンをする(低速ギアに入れる)。

エンジンブレーキの特性

エンジンブレーキはギアを低速に入れるほど制動効果は高くなる。

ブレーキ効果

高速ギア ＜ 低速ギア

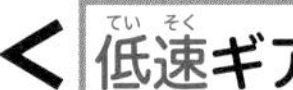

ブレーキのかけ方 NO.41

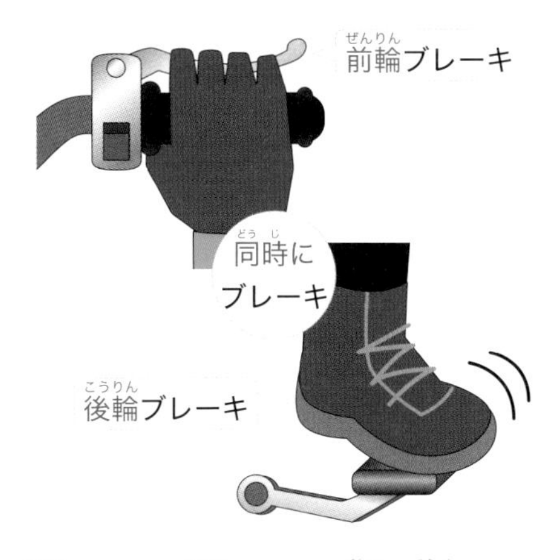

前輪ブレーキと後輪ブレーキを同時に操作する。

急ブレーキをかけない。スリップ防止や後続車への合図のため、数回に分けてブレーキをかける。

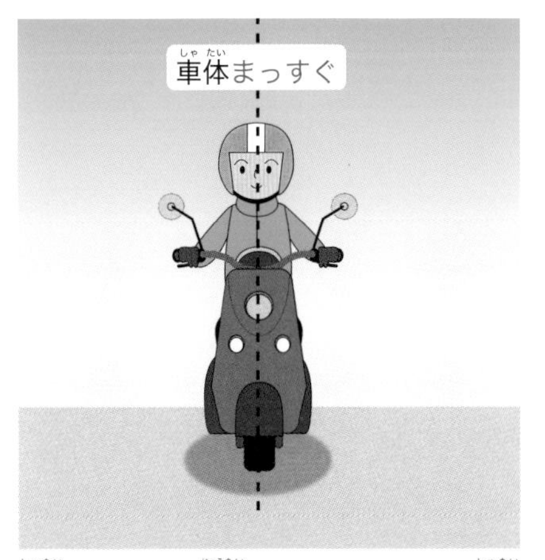

車体がまっすぐな状態でブレーキをかける。車体が傾いた状態でブレーキをかけると転倒するおそれがある。

ブレーキを1回で強くかけると、タイヤがロックして転倒するおそれがある。はじめはジワーッとかけ、徐々に力を加えるのがよい。

急ブレーキは転倒の危険があるだけでなく、後続車に追突されるおそれがあるので、やむを得ない場合以外はしてはいけません！

ルールを頭にたたきこむ よく出る問題10選

速度・ブレーキ

問題文が正しい場合は○、誤っている場合は×で答えましょう。

Q1 図の標識は、自動車や一般原動機付自転車の最高速度が時速40キロメートルであることを表している。

40

A1 ×　自動車の最高速度は時速40キロメートルですが、一般原動機付自転車は時速30キロメートルです。 P.61 No.34

Q2 標識や標示で最高速度が指定されていない道路での一般原動機付自転車の最高速度は、時速30キロメートルである。

A2 ○　一般原動機付自転車の法定速度は、時速30キロメートルです。 P.61 No.34

Q3 走行中の速度を半分に落とせば、徐行したといえる。

A3 ×　徐行は車がすぐに停止できるような速度で進行することをいい、時速10キロメートル以下が目安です。 P.62 No.35

Q4 左右の見通しの悪い交差点でも、優先道路を走行しているときは、徐行する必要はない。

A4 ○　見通しの悪い交差点でも、優先道路を走行しているときは、とくに徐行の必要はありません。 P.62 No.36

Q5 見通しの悪い道路の曲がり角付近は徐行しなければならないが、見通しがよい場合は徐行しなくてもよい。

A5 ×　設問の場所は、見通しにかかわらず、必ず徐行しなければなりません。 P.62 No.36

Q6 制動距離は、空走距離と停止距離を合わせたものである。

A6 ×　制動距離は、ブレーキが効き始めてから車が停止するまでの距離です。 P.63 No.37

Q7 安全な車間距離は、速度が同じであっても、天候・路面・タイヤの状態、荷物の重さなどによって違ってくる。

A7 ○　設問のようなことを考えて、安全な車間距離を保たなければなりません。 P.64 No.39

Q8 エンジンブレーキは、高速ギアよりも低速ギアのほうが効きがよい。

A8 ○　低速ギアほど制動効果は高くなるので、低速ギアになるほど効きがよくなります。 P.64 No.40

Q9 一般原動機付自転車でブレーキをかけるときは、前輪ブレーキは危険なのであまり使わず、主として後輪ブレーキを使うのがよい。

A9 ×　二輪車は、前後輪ブレーキを同時にかけるようにします。 P.65 No.41

Q10 ブレーキはブレーキ灯と連動しており、これを断続的にかけると後続車の迷惑となるので避けたほうがよい。

A10 ×　断続ブレーキは後続車への合図となり、追突されるのを防止するのに役立ちます。 P.65 No.41

重要ルール 9

通行禁止場所

原動機付自転車が通行できない場所を覚える

原動機付自転車の通行が禁止されている場所 NO.42

1 標識・標示で通行が禁止されている場所

通行止め
（➡P.17 8）

車両通行止め
（➡P.21 1）

二輪の自動車・一般原動機付自転車通行止め（➡P.21 3）

立入り禁止部分
（➡P.27 7）

歩行者等専用
（➡P.17 5）

普通自転車等及び歩行者等専用（➡P.21 12）

特定小型原動機付自転車・自転車専用（➡P.24 13）

自動車専用
（➡P.21 11）

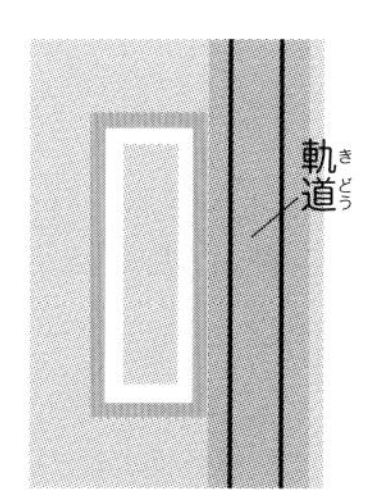

安全地帯
（➡P.28 17）

安全地帯 歩行者の安全を確保するための場所。

ココに注意

「歩行者等専用」「普通自転車等及び歩行者等専用」の標識がある道路でも、沿道に車庫がある場合などで、とくに通行を認められた車は通行できる。この場合、歩行者に注意して徐行しなければならない。

二輪車のエンジンを止め、押して歩く場合は、歩行者として扱われます（側車付きのもの、けん引している場合を除きます）。

2 歩道・路側帯

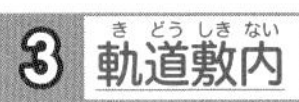

例外

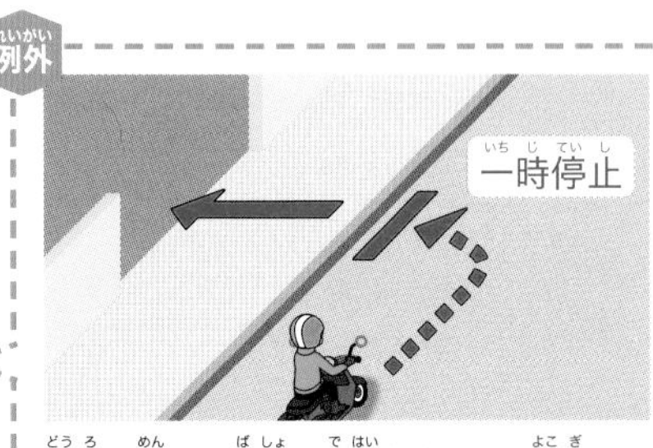

道路に面した場所に出入りするため横切ることはできる。その場合、歩行者の有無にかかわらず、歩道や路側帯の直前で一時停止しなければならない。

3 軌道敷内

例外

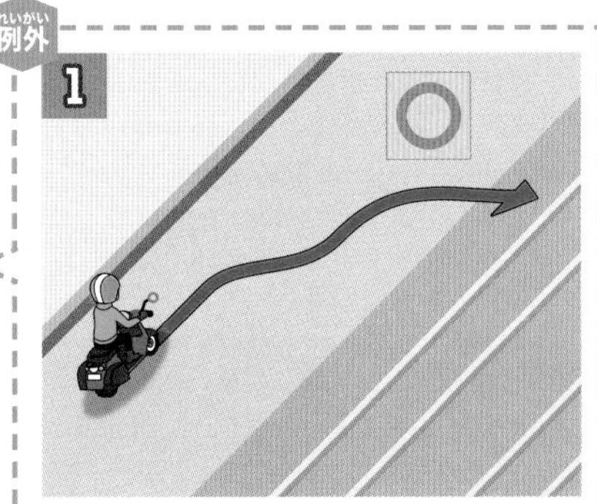

1 右左折、横断、転回するために横切るとき。

2 道路の左側だけでは通行できないとき。

3 危険防止のため、やむを得ないとき。

「軌道敷内通行可」の標識があっても、原動機付自転車や軽車両は軌道敷内を通行できない。

軌道敷内通行可

停止すると危険な場所、迷惑をかける場所を覚える

交通状況による進入禁止 NO.43

前方の交通が混雑しているため、そのまま進むと他の交通の妨げとなるような場合は、その先に進入してはいけない。

1 交差点

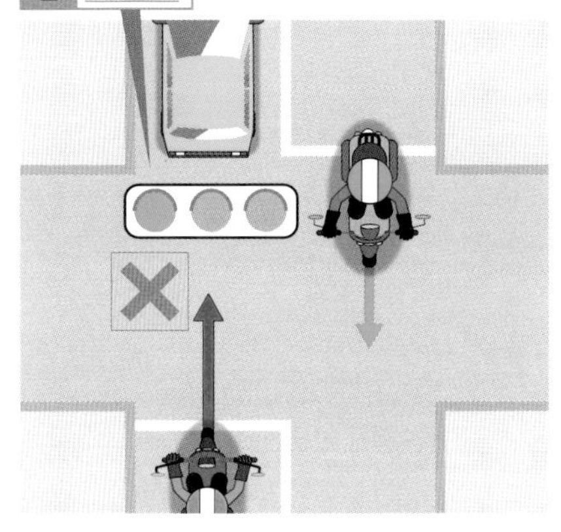

2 「停止禁止部分」の標示

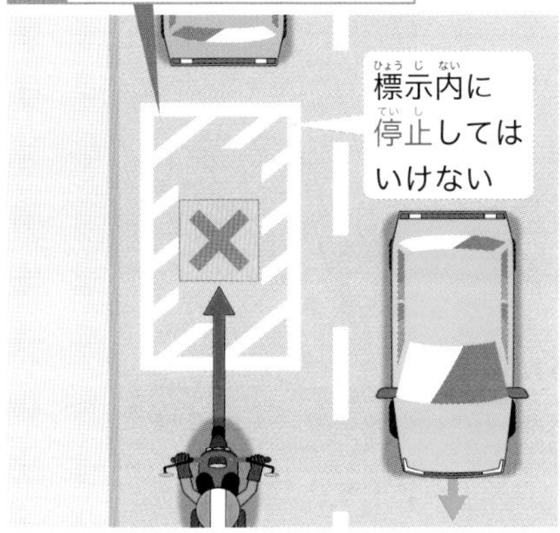

3 踏切

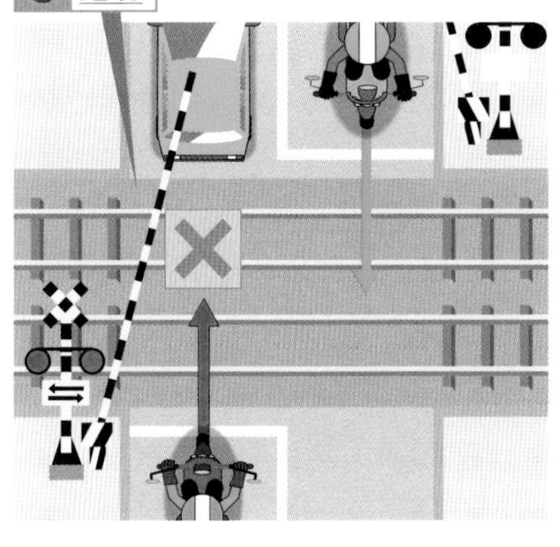

4 横断歩道・自転車横断帯

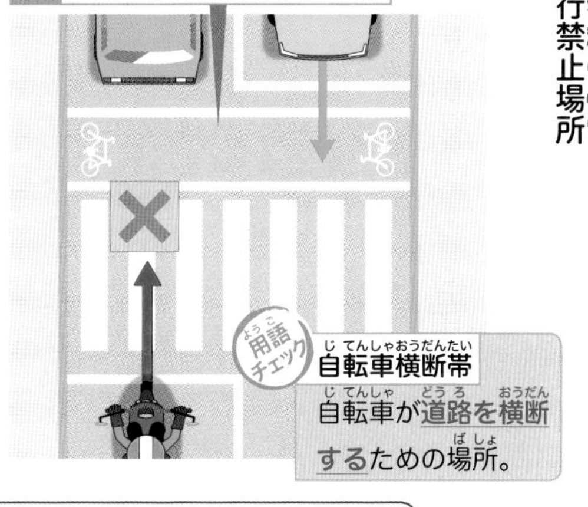

用語チェック
自転車横断帯
自転車が道路を横断するための場所。

踏切内などに停止してしまうと危険であり迷惑です。その先の状況をよく確かめてから進むようにしましょう！

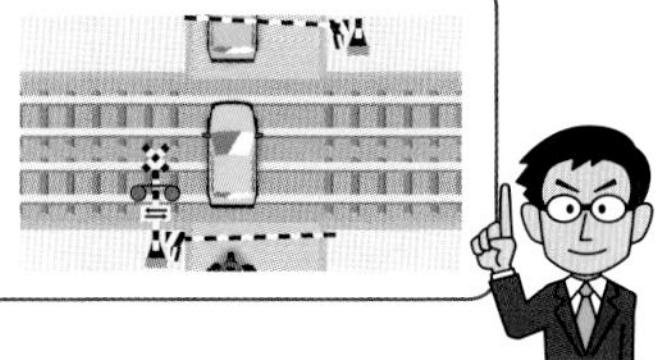

ルールを頭にたたきこむ よく出る問題10選

通行禁止場所

問題文が正しい場合は○、誤っている場合は×で答えましょう。

Q.1 □□
図の標識のある場所は、自動車はもちろん、一般原動機付自転車や軽車両も通行できない。

A1 ○
車(車両)は、「車両通行止め」の標識のある道路を通行できません。
P.67 No.42

Q.2 □□
図の標識のあるところは、二輪の自動車は通行できないが、一般原動機付自転車は通行できる。

A2 ×
「二輪の自動車・一般原動機付自転車通行止め」を表し、一般原動機付自転車も通行できません。
P.67 No.42

Q.3 □□
図の標識は歩行者の通行が多い道路を表すが、一般原動機付自転車は徐行すれば通行できる。

A3 ×
「歩行者等専用」を表し、原則として一般原動機付自転車は通行できません。
P.67 No.42

Q.4 □□
一般原動機付自転車は、図の標識のある道路を通行できない。

A4 ○
「自動車専用」の標識で高速道路を表すので、一般原動機付自転車は通行できません。
P.67 No.42

Q.5 □□
二輪車の通行が禁止されている場所であっても、エンジンを止めて押して歩く場合は通行できる。

A5 ○
設問のような場合は歩行者として扱われるので、二輪車の通行禁止場所でも通行できます。
P.67 No.42

Q.6 □□
一般原動機付自転車で歩道を横切るときは、歩行者がいるときに限り、その直前で一時停止しなければならない。

A6 ×
歩道を横切るときは、歩行者の有無にかかわらず、直前で一時停止しなければなりません。
P.68 No.42

Q.7 □□
車は軌道敷内を原則として通行できないが、右折や横断などのときは横切ってもよい。

A7 ○
右折や横断などのときは、軌道敷内を横切ることができます。
P.68 No.42

Q.8 □□
図の標識があれば、一般原動機付自転車も軌道敷内を通行できる。

A8 ×
「軌道敷内通行可」の標識があっても、一般原動機付自転車は軌道敷内を通行できません。
P.68 No.42

Q.9 □□
前方の信号機が青信号であっても、交通が混雑しているためそのまま進行すると交差点内で止まってしまい、交差道路の交通を妨害するおそれがあるときは、交差点に進入してはならない。

A9 ○
交差点内で止まってしまうおそれがあるときは、交差点に進入してはいけません。
P.69 No.43

Q.10 □□
前方が混雑しているため、踏切内で停止するおそれがあったが、警報機が鳴っていないのでそのまま進入した。

A10 ×
踏切内で停止するおそれがある場合は、踏切に進入してはいけません。
P.69 No.43

重要ルール 10

歩行者の保護

車の運転者は歩行者の安全を考えることが大切です！

スピード攻略

歩行者として扱われる人を覚える

歩行者になる人 NO.44

1 道路を通行している人

2 乳母車、小児用の車で通行している人

3 身体障害者用の車いすで通行している人

4 歩行補助車で通行している人

5 エンジンを止めた二輪車を押して歩いている人

例外

側車付きの車

けん引している車

ココに注意 二輪車から降り、押して歩いていても、エンジンをかけたままでは歩行者として扱われない。

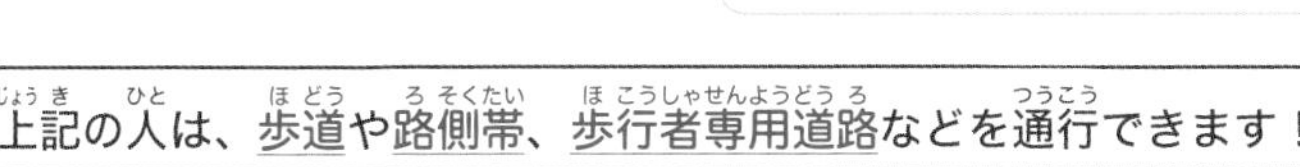

上記の人は、歩道や路側帯、歩行者専用道路などを通行できます！

徐行して歩行者の安全を確保するケースを覚える

歩行者や自転車のそばを通るとき NO.45

安全な間隔をあける。

安全な間隔をあけられないときは徐行する。

「安全な間隔」の目安

歩行者・自転車	と対面→1メートル以上の間隔
	に背面→1.5メートル以上の間隔

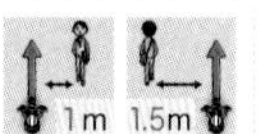

安全地帯のそばを通るとき NO.46

安全地帯に歩行者がいるときは徐行する。

安全地帯に歩行者がいないときはそのまま通行できる。

安全地帯 歩行者の安全を確保するための場所。

横断歩道に近づくときの3つのケースを覚える

横断歩道・自転車横断帯に近づくとき NO.47

※交通整理が行われていない場合

1 歩行者や自転車が明らかにいないとき

そのまま進める。

2 歩行者や自転車がいるか、いないか明らかでないとき

停止できるような速度に落として進行する。

3 歩行者や自転車が横断しているときや横断しようとしているとき

その手前で一時停止する。

歩行者や自転車がいるか、いないか明らかでないとき ＝ 横断歩道の近くに人がいるようなとき。

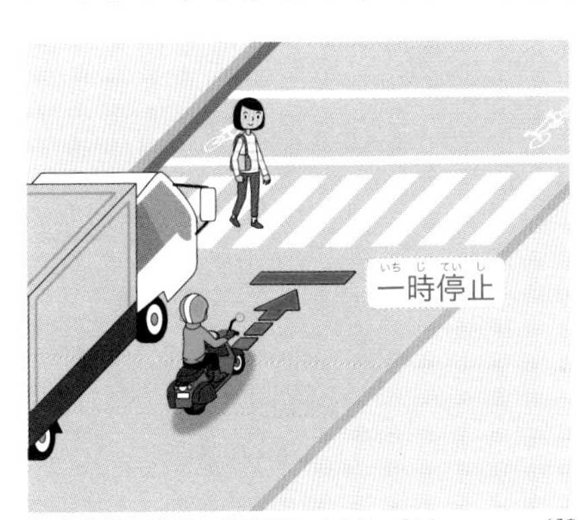

横断歩道や自転車横断帯の直前に停止している車があるときは、そのそばを通って前方に出る前に一時停止して安全を確認しなければならない。

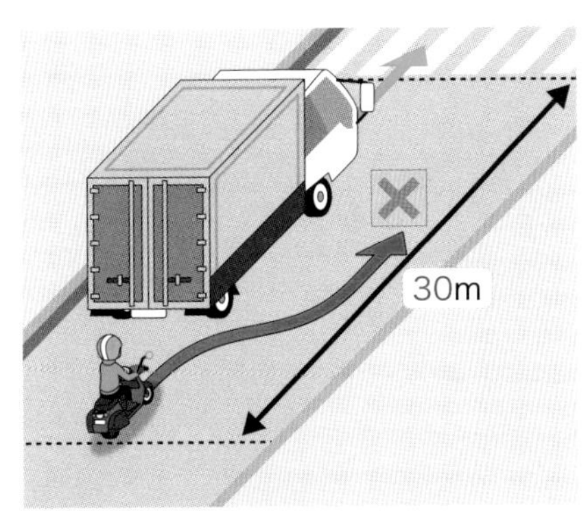

横断歩道や自転車横断帯とその手前30メートル以内の場所は、追い越しだけでなく追い抜きも禁止されている。

試験に出るのはココ!

横断歩道に近づくときは歩行者の有無と動向を見る。

追い抜き

進路を変えずに前車の前方に出ること。

一時停止か徐行して保護する人を覚える

停止中の路面電車のそばを通るとき NO.48

乗り降りする人や道路を横断する人がいなくなるまで、後方で停止して待つ。

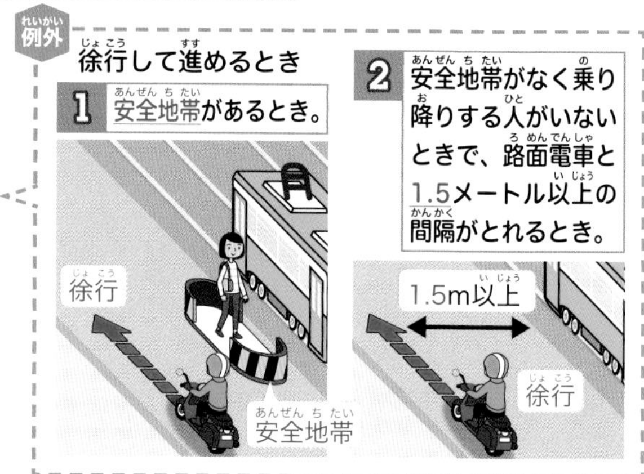

子どもなどの保護 NO.49

一時停止か徐行して保護する人

停止中の通学・通園バスのそばを通るとき

児童や園児がバスの前後を横断してくることがあるので、徐行して安全を確かめる。

通学路の付近では

児童や園児が道路に飛び出してくることがあるので、注意して運転する。

車に付ける５種類のマーク(標識)の意味を覚える

マークは後続車から見える位置に付いています。安全に通行できるように保護しましょう！

マークを付けた車の保護 NO.50

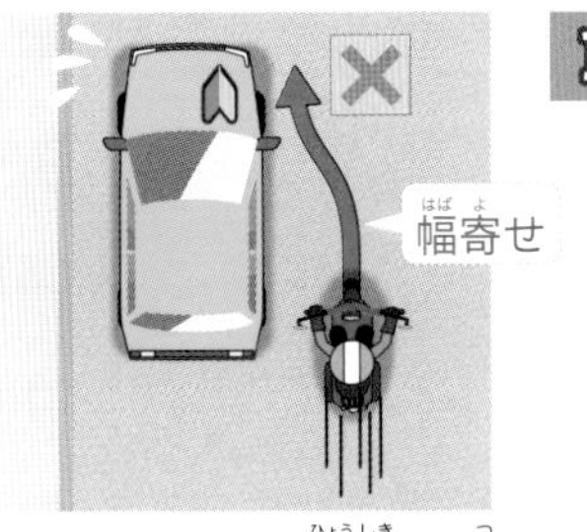

①～⑤のマーク(標識)を付けている車に対する側方への幅寄せや前方への割り込みをしてはいけない。

用語チェック 幅寄せ　車体を他の車に寄せていくこと。

1

初心者マーク(初心運転者標識)

免許を受けて１年未満の人が、準中型自動車や普通自動車を運転するときに付ける。

2

高齢者マーク(高齢運転者標識)

70歳以上の人が、普通自動車を運転するときに付ける。

3

身体障害者マーク(身体障害者標識)

身体に障害がある人が、普通自動車を運転するときに付ける。

4

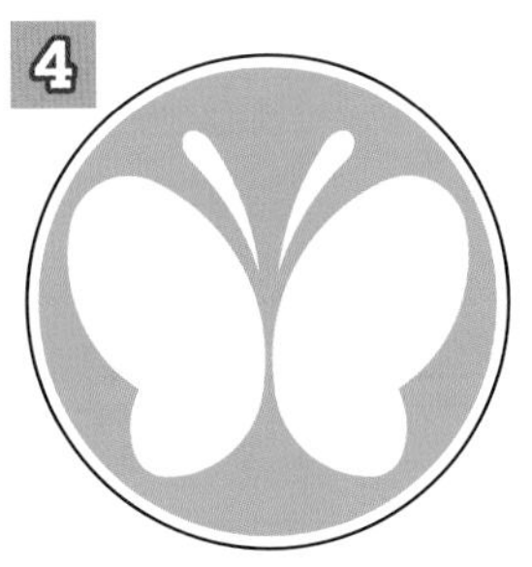

聴覚障害者マーク(聴覚障害者標識)

聴覚に障害がある人が、準中型自動車や普通自動車を運転するときに付ける。

5

仮免許
練習中

仮免許練習標識

仮免許で運転練習する人が、自動車を運転するときに付ける。

用語チェック 仮免許　練習や試験などのために、大型・中型・準中型・普通自動車を運転するとき必要な免許。

危険な運転、騒音は他人の迷惑になる

他人に迷惑をかける運転の禁止 NO.51

他人に迷惑をかけるような急発進、急加速をしてはいけない。

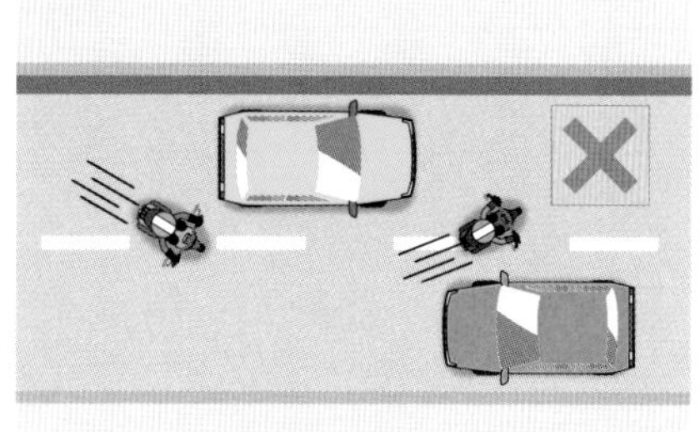

集団でのジグザグ運転、危険をおよぼすような運転をしてはいけない。

マフラーの取り外し、から吹かしなど、騒音を出す行為をしてはいけない。

用語チェック マフラー｜消音装置のこと。

ぬかるみや水たまりのある道路を走行するときは、泥や水をはねて歩行者に迷惑をかけるような運転をしてはいけない。

ルールを頭にたたきこむ よく出る問題10選 歩行者の保護

問題文が正しい場合は○、誤っている場合は×で答えましょう。

Q.1 身体障害者用の車いすで通行している人は、歩行者に含まれる。

A1 ○ 設問のとおりで、高齢者用の手押し車やショッピングカートで通行している人なども同様です。 P.71 No.44

Q.2 歩行者のそばを通るときは、必ず徐行しなければならない。

A2 × 歩行者との間に安全な間隔がとれれば、必ずしも徐行する必要はありません。 P.72 No.45

Q.3 安全地帯のそばを通るときは、歩行者がいるときは徐行しなければならないが、いないときは徐行しなくてもよい。

A3 ○ 安全地帯に歩行者がいないときは、徐行しなくてもかまいません。 P.72 No.46

Q.4 横断歩道の手前では、横断する人がいないことが明らかな場合であっても、横断歩道の直前でいつでも停止できるように減速して進むべきである。

A4 × 横断する人が明らかにいないときは、とくに減速する必要はありません。 P.73 No.47

Q.5 歩行者や自転車が横断歩道や自転車横断帯を横断しているときは、その手前で徐行しなければならない。

A5 × 横断中のときは、横断歩道や自転車横断帯の手前で一時停止しなければなりません。 P.73 No.47

Q.6 横断歩道に近づいたとき、横断歩道の直前に停止している車があったが、横断しようとする人がいなかったので徐行して進行した。

A6 × 徐行ではなく、横断歩道の直前で必ず一時停止しなければなりません。 P.73 No.47

Q.7 停留所で止まっている路面電車に乗り降りする人がいる場合であっても、安全地帯があるときは徐行して通過してよい。

A7 ○ 安全地帯があれば、乗り降りする人がいても徐行して進めます。 P.74 No.48

Q.8 通行に支障のある高齢者や身体に障害のある人が歩いているときは、必ず一時停止して安全に通行できるようにしなければならない。

A8 × 必ずしも一時停止と限らず、状況によっては徐行することもできます。 P.74 No.49

Q.9 停止中の通園バスのそばを通るときは、徐行して安全を確かめなければならない。

A9 ○ 園児が道路に飛び出してくることがあるので、徐行して安全を確かめます。 P.74 No.49

Q.10 図は、60歳以上の運転者が普通自動車を運転するときに表示するマークである。

A10 × 「高齢者マーク」は、70歳以上の運転者が普通自動車を運転するときに表示するマークです。 P.75 No.50

重要ルール 11 通行場所

車は左側通行が原則ですが、例外を覚えておきましょう！

スピード攻略▶ **左側通行の例外である５つのケースを覚える**

左側通行（キープレフト）の原則 NO.52

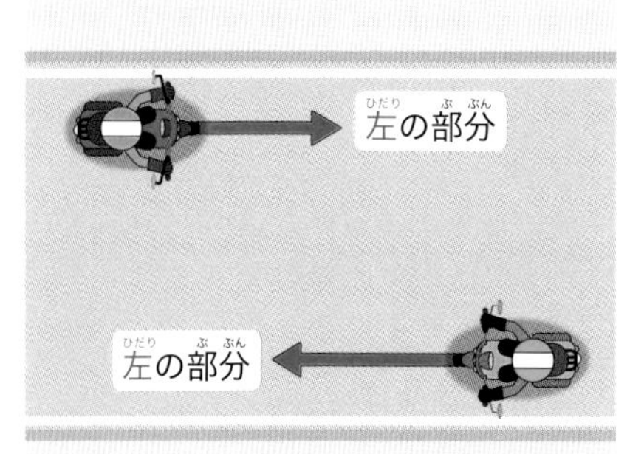

車は車道を通行し、中央線がない道路では、道路の中央から左の部分を通行する。

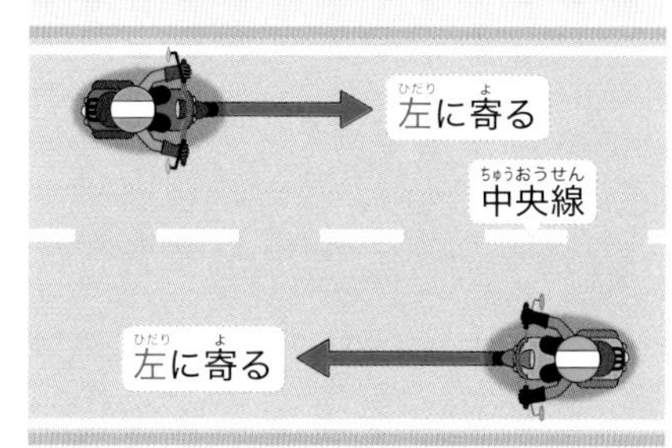

車両通行帯がない道路では、車は道路の左側の左に寄って通行する（キープレフトの原則）。

車両通行帯がない道路 片側１車線の道路のこと。

道路の右側部分にはみ出して通行できるとき NO.53

1 一方通行の道路

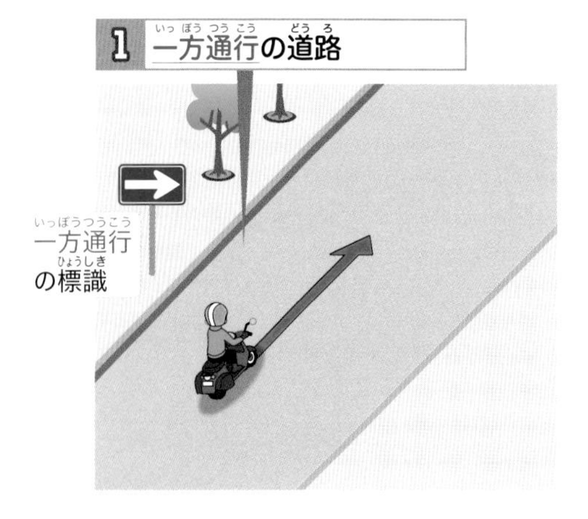

2 左側部分だけでは通行するのに十分な道幅がないとき

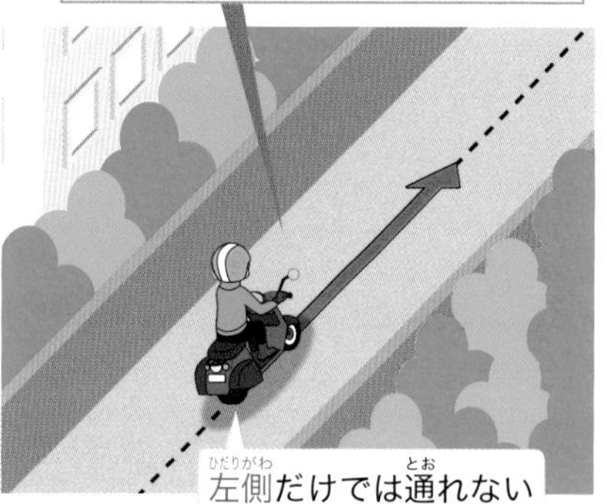

3 道路工事などでやむを得ないとき

4 道路の左側部分の幅が6メートル未満の見通しのよい道路で他の車を追い越すとき

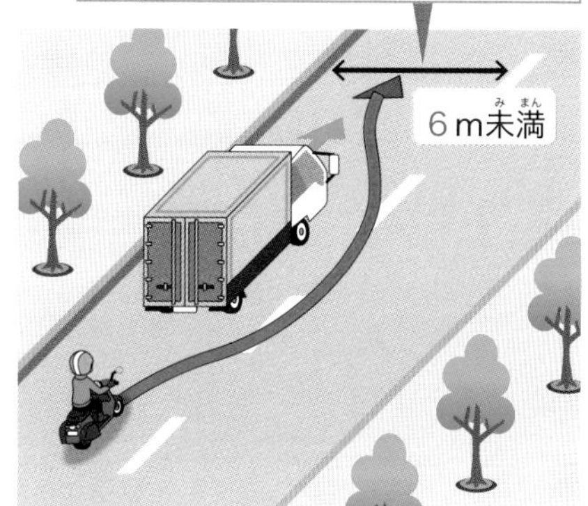

5 「右側通行」の標示があるとき

1の一方通行の道路以外は、はみ出し方を最小限にする(できるだけ少なくする)。

試験に出るのはココ! **黄色の中央線の場合**

道路の左側部分の幅が6メートル未満の道路でも、黄色の中央線がある場合は右側部分にはみ出してはいけない。

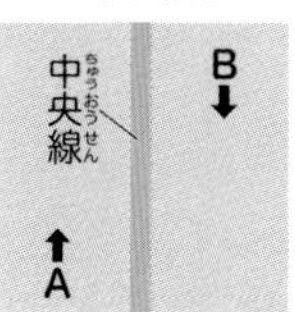

A・Bどちら方向の車も追い越しのため道路の右側部分にはみ出して通行してはいけない。

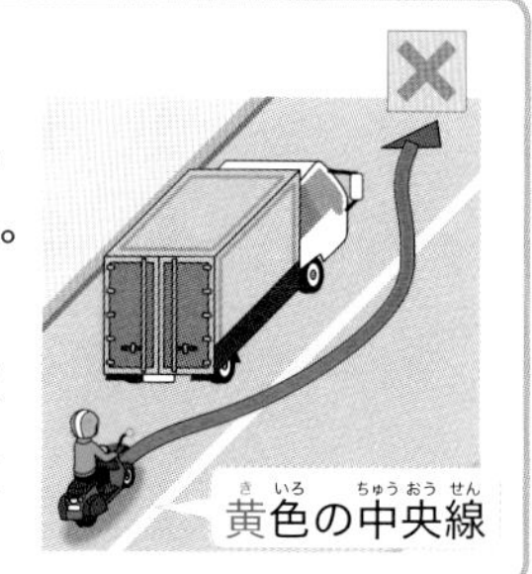

原動機付自転車はいちばん左側の通行帯を通行するのが原則

車両通行帯がある道路での通行 NO.54

車両通行帯が２つの道路では

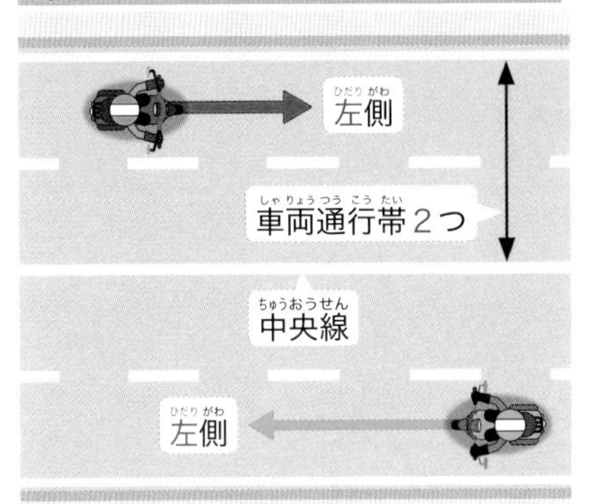

右側の通行帯は追い越しのためにあけておき、左側の通行帯を通行する。

車両通行帯が３つ以上の道路では

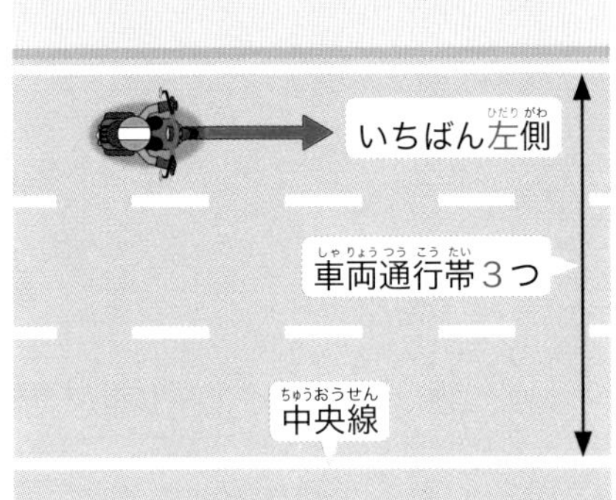

原動機付自転車と小型特殊自動車は、原則としていちばん左側の通行帯を通行する。

ルールを頭にたたきこむ よく出る問題４選 通行場所

問題文が正しい場合は○、誤っている場合は×で答えましょう。

Q1 □□ 一般原動機付自転車は、歩道と車道の区別のある広い道路では、車道であればどの部分を通行してもよい。	**A1** × どの部分でもよいわけではなく、道路の中央から左の部分を通行します。 P.78 No.52
Q2 □□ 一方通行の道路では、車は道路の中央から右の部分にはみ出して通行することができる。	**A2** ○ 一方通行の道路は対向車が来ないので、右側部分にはみ出して通行することができます。 P.78 No.53
Q3 □□ 下り坂のカーブに「右側通行」の標示があるときは、対向車に注意しながら、道路の右側部分にはみ出して通行することができる。	**A3** ○ 「右側通行」の標示のある場所では、道路の右側部分に最小限はみ出して通行できます。 P.79 No.53
Q4 □□ 同一方向に２つの車両通行帯がある道路では、速度の速い一般原動機付自転車は右側の通行帯を通行する。	**A4** × 速度に関係なく、一般原動機付自転車は原則として左側の通行帯を通行します。 P.80 No.54

乗車・積載

荷台からはみ出せる荷物の範囲を覚える

原動機付自転車・小型特殊自動車の乗車定員 NO 55

原動機付自転車

小型特殊自動車

小型特殊自動車 トラクターなど特殊な用途に用いる小型の構造の作業車のこと。

例外

運転者用以外の座席があるものは２人。

原動機付自転車・小型特殊自動車の積載制限 NO.56

原動機付自転車

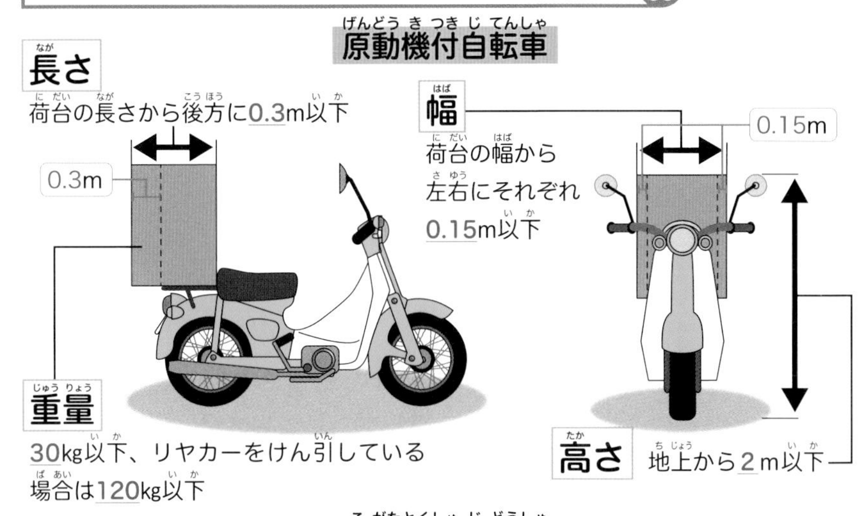

小型特殊自動車

長さ

自動車の長さ×1.2以下
(自動車の長さ＋前後にそれぞれ長さの10分の1以下)

幅

自動車の幅×1.2以下
(自動車の幅＋左右にそれぞれ幅の10分の1以下)

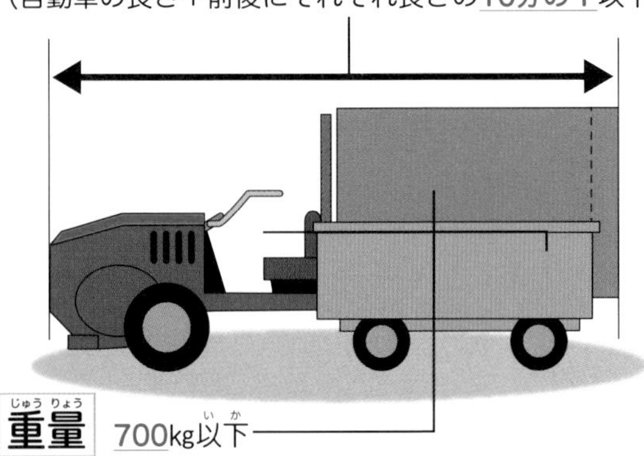

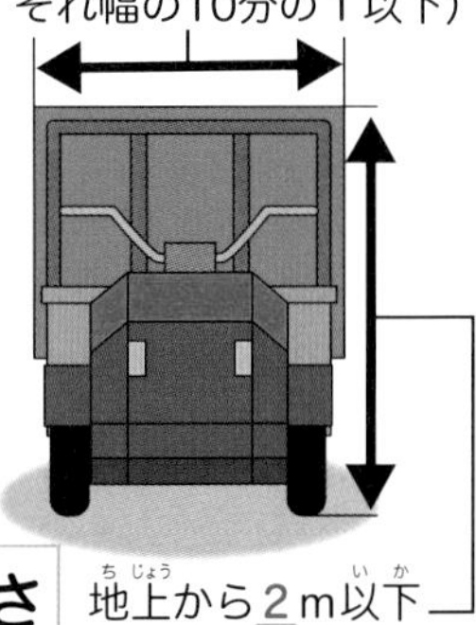

重量 700kg以下

高さ 地上から2m以下

試験に出るのはココ! 原動機付自転車の積み荷は幅と高さに注意

幅……荷台の左右にはみ出せるのはそれぞれ0.15メートル。0.3メートルではない。

高さ…地上から2メートルまでで、荷台から2メートルではない。

荷物の積み方 NO.57

荷物が転落、飛散しないように、ロープなどで固定する。

運転の妨げになるような積み方、車の安定が悪くなるような積み方をしてはいけない。

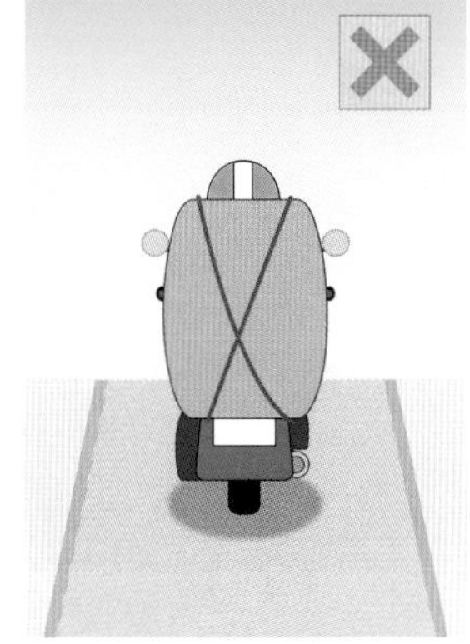

方向指示器や尾灯（後部にあるランプ）、ナンバープレートが見えなくなるような積み方をしてはいけない。

ルールを頭にたたきこむ よく出る問題4選 乗車・積載

問題文が正しい場合は○、誤っている場合は×で答えましょう。

Q1 荷台のある一般原動機付自転車は、二人乗りをすることができる。

A1 ×　一般原動機付自転車の二人乗りは禁止されています。

P.81 No.55

Q2 一般原動機付自転車の荷台には、60キログラムの重さの荷物を積んで運転してはならない。

A2 ○　一般原動機付自転車に積載できる重量制限は、30キログラムまでです。

P.82 No.56

Q3 一般原動機付自転車に荷物を積むときの積み荷の幅の制限は、荷台から左右にそれぞれ0.3メートル以下である。

A3 ×　0.3メートルではなく、荷台から左右にそれぞれ0.15メートルを超えてはいけません。

P.82 No.56

Q4 一般原動機付自転車に荷物を積んだとき、方向指示器が見えなくても、手による合図が他の車から見て確認できれば運転してよい。

A4 ×　方向指示器などが見えなくなるような荷物の積み方をしてはいけません。

P.83 No.57

重要ルール 13

警音器・合図

右左折や進路変更を行うときの合図の方法を覚えましょう！

警音器を鳴らさなければならない場所を覚える

警音器の使用制限 NO.58

警音器は、みだりに鳴らしてはいけない。

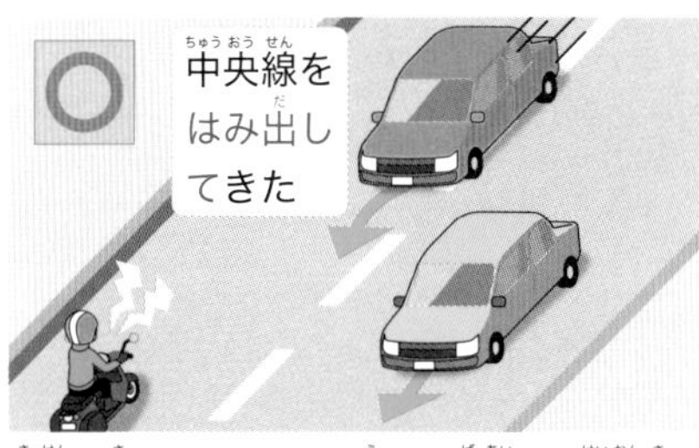

危険を避けるためやむを得ない場合は、警音器を鳴らすことができる。

ココに注意 警音器の乱用になる行為

他の車などへのあいさつで警音器を鳴らす。

発進を促すために警音器を鳴らす。

警音器を鳴らさなければならない場所 NO.59

1 「警笛鳴らせ」の標識（➡P.22 17）がある場所

2 「警笛区間」の標識（➡P.25 20）がある区間内の次の場所

左右の見通しのきかない交差点。

見通しのきかない道路の曲がり角。

見通しのきかない上り坂の頂上。

右左折と進路変更では合図をする時期が異なる

二輪車はアクセルが右側にあるので手の合図は左腕で行います。

合図を行う場合	合図を行う時期	合図の方法
左折するとき（環状交差点内を除く）	左折しようとする（または交差点から）30メートル手前の地点に達したとき	二輪車の場合　四輪車の場合 ※左ハンドルの四輪車は、左腕で二輪車と同じ合図を行う 左側の方向指示器をつけるか、左腕を水平に伸ばす 左側の方向指示器をつけるか、右腕を車の外に出してひじを垂直に上に曲げる
環状交差点を出るとき ※環状交差点に入るときは合図を行わない	出ようとする地点の直前の出口の側方を通過したとき（環状交差点に入った直後の出口を出る場合は、その環状交差点に入ったとき）	
左に進路変更するとき	進路を変えようとする約3秒前	
右折・転回するとき（環状交差点内を除く）	右折や転回しようとする（または交差点から）30メートル手前の地点に達したとき	右側の方向指示器をつけるか、左腕を伸ばしてひじを垂直に上に曲げる 右側の方向指示器をつけるか、右腕を車の外に出して水平に伸ばす
右に進路変更するとき	進路を変えようとする約3秒前	
徐行・停止するとき	徐行または停止するとき	制動灯をつけるか、左腕を斜め下に伸ばす 制動灯をつけるか、腕を車の外に出して斜め下に伸ばす
後退するとき	後退しようとするとき	後退灯をつけるか、腕を斜め下に伸ばし、手のひらを後ろに向けてその腕を前後に動かす

右左折と進路変更の合図の時期

右左折 ➡ 右左折の30メートル手前の地点

進路変更 ➡ 進路を変えようとする約3秒前

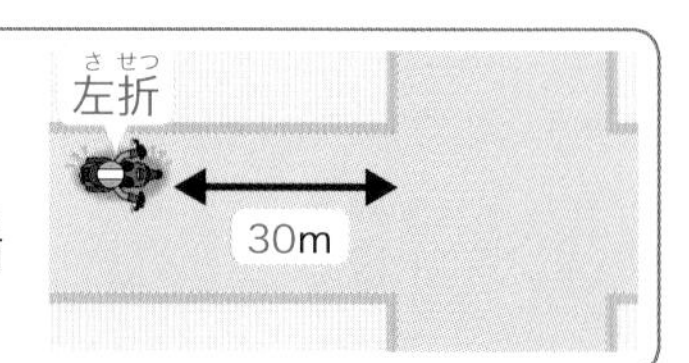

合図をするときの注意点 NO.61

手による合図は、夕日の反射などで方向指示器が見えにくい場合に、方向指示器と併せて行う。

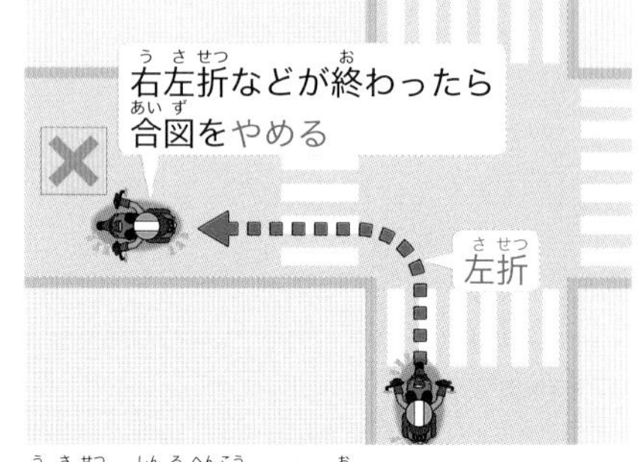

右左折や進路変更などが終わったら、すみやかに合図をやめる。不必要な合図は、他の交通を混乱させることになる。

ルールを頭にたたきこむ よく出る問題4選 警音器・合図

問題文が正しい場合は○、誤っている場合は×で答えましょう。

Q1 □□	他車に進路を譲ってもらった場合は、警音器を鳴らしてあいさつをするようにする。	A1 ×	警音器をあいさつ代わりに使用してはいけません。 P.84 No.58
Q2 □□	危険を避けるためやむを得ないときであれば、学校や病院の近くであっても警音器を鳴らしてもよい。	A2 ○	危険を避けるためやむを得ない場合は、警音器を鳴らすことができます。 P.84 No.58
Q3 □□	右左折の合図は、右左折をしようとする地点の30メートル手前で行わなければならない。	A3 ○	右左折をしようとする地点の30メートル手前で合図を行います。 P.85 No.60
Q4 □□	同一方向に進行しながら進路を変えようとするときは、進路を変えようとする約30メートル手前で合図をしなければならない。	A4 ×	進路変更の場合は、進路を変えようとする約3秒前に合図を行います。 P.85 No.60

重要ルール 14

優先車両

一時停止して緊急自動車に進路を譲るケースを覚える

「緊急自動車」になる車 NO.62

サイレンを鳴らし、赤色の警光灯をつけて緊急用務のために運転中の自動車(交通取り締まりなどを行う警察車両は、サイレンを鳴らさない場合もある)。

※その他の政令で定められている自動車(電気・ガス・医療関連のものなど)

緊急自動車に進路を譲る方法 NO.63

交差点やその付近での譲り方

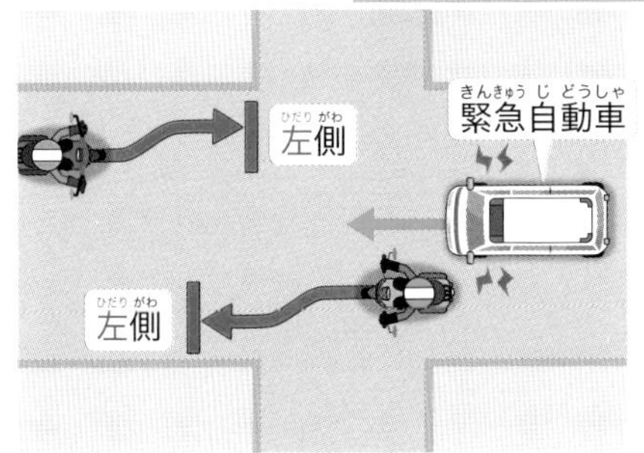

交差点を避け、道路の左側に寄って一時停止する。

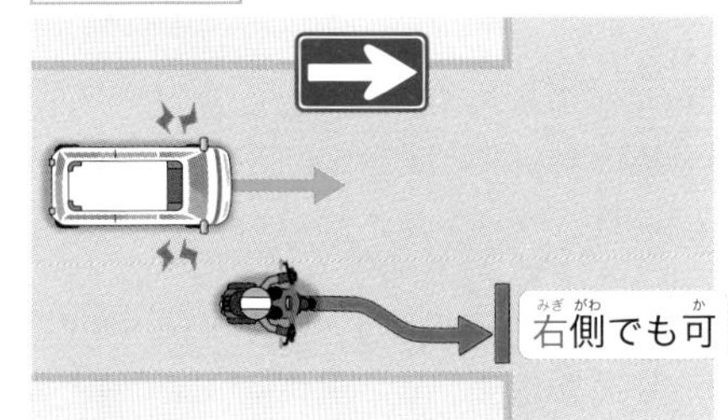

左側に寄るとかえって緊急自動車の妨げとなるようなときは、交差点を避け、道路の右側に寄って一時停止する。

右側に寄って進路を譲れるのは、一方通行の道路で左側に寄ると緊急自動車の妨げとなるようなときだけ。一方通行の道路でも、原則は左側に寄って譲る。

交差点やその付近以外での譲り方

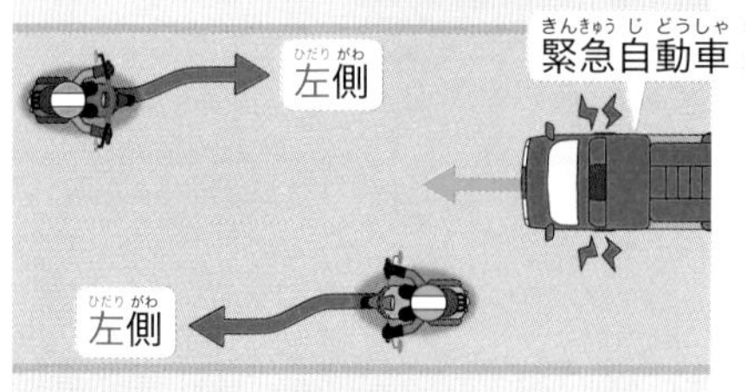

道路の左側に寄って進路を譲る。

一時停止や徐行の必要はない。

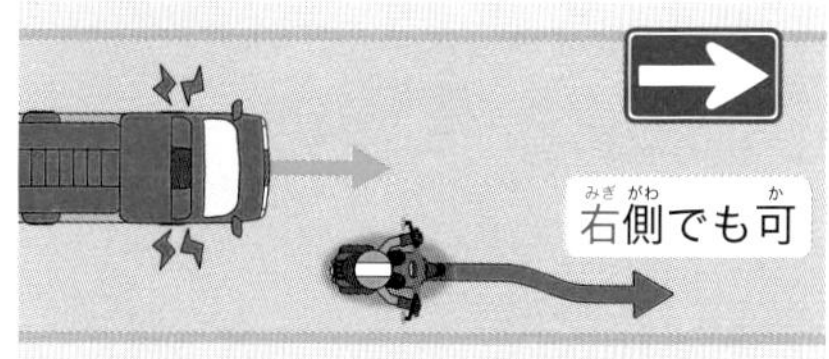

左側に寄るとかえって緊急自動車の妨げとなるようなときは、道路の右側に寄って進路を譲る。

スピード攻略

原動機付自転車は路線バス等の専用・優先通行帯を通行できる

「路線バス等」になる車 NO.64

※その他、公安委員会が指定した通勤送迎用バスなど

路線バスの優先 NO.65

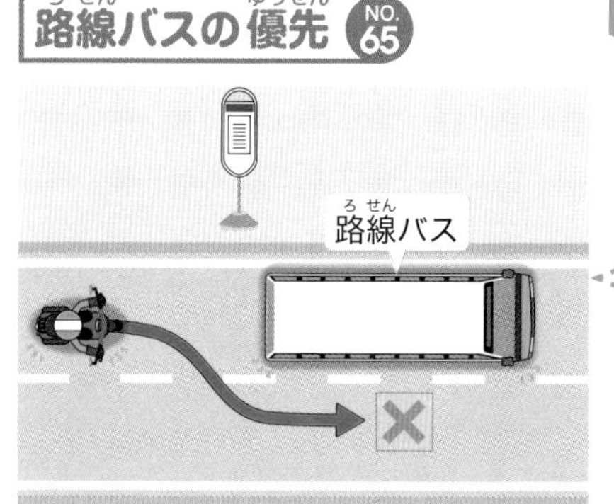

停留所に停止中の路線バスが発進の合図をしたときは、原則としてその発進を妨げてはいけない。

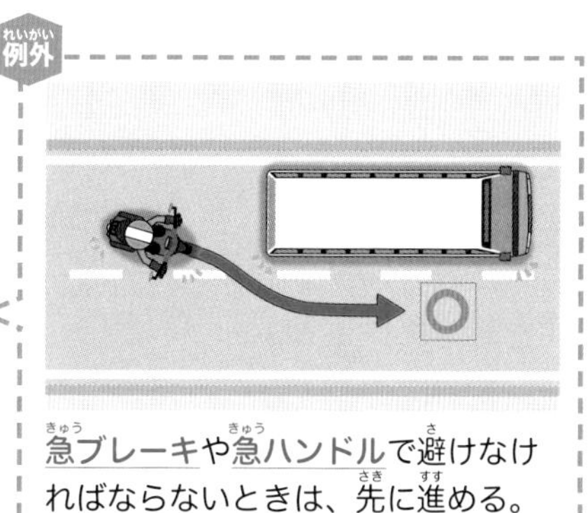

急ブレーキや急ハンドルで避けなければならないときは、先に進める。

発進の合図＝右側の方向指示器を出す合図

路線バス等の「専用通行帯」、「路線バス等優先通行帯」では NO.66

路線バス等の「専用通行帯」

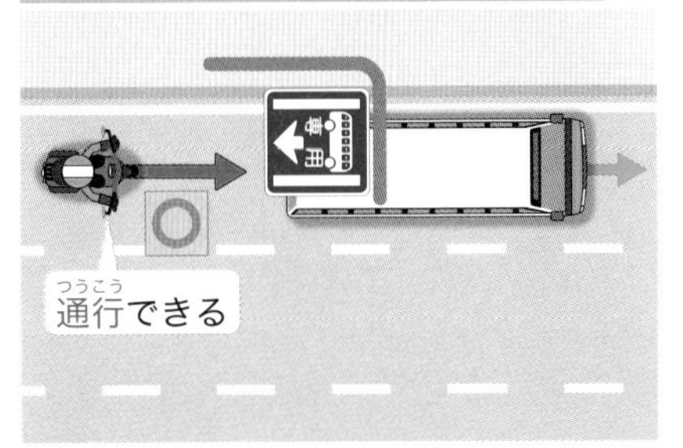

原動機付自転車、小型特殊自動車、軽車両は、専用通行帯を通行できる。

「路線バス等優先通行帯」

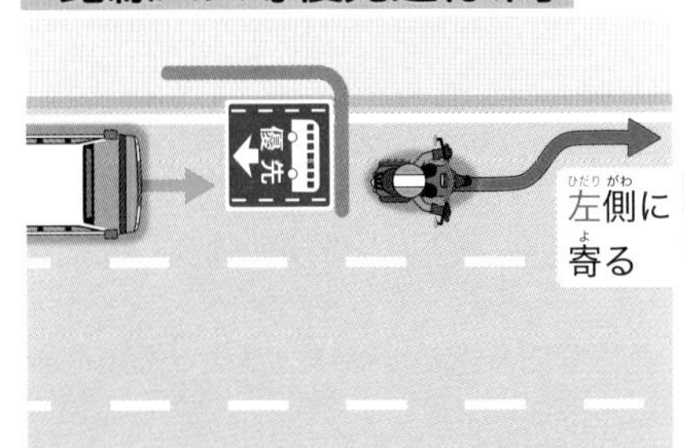

路線バス等以外の車も、優先通行帯を通行できる。ただし、路線バス等が近づいてきたら、原動機付自転車は道路の左側に寄って進路を譲る。

小型特殊自動車以外の自動車は原則として通行できない。

「路線バス等優先通行帯」を通行中、路線バス等が近づいてきたら、小型特殊自動車以外の自動車は、優先通行帯から出なければなりません。

ルールを頭にたたきこむ よく出る問題4選 優先車両

問題文が正しい場合は○、誤っている場合は×で答えましょう。

Q.1 □□	交差点付近を通行中、緊急自動車が近づいてきたので、交差点を避け、道路の左側に寄って徐行した。	A1 ×	交差点を避け、道路の左側に寄って一時停止しなければなりません。 P.87 No.63
Q.2 □□	交差点付近でない道路で緊急自動車に進路を譲るときは、必ずしも一時停止や徐行をしなくてよい。	A2 ○	交差点やその付近以外では、左側に寄って進路を譲ります。 P.88 No.63
Q.3 □□	路線バス等の専用通行帯は、一般原動機付自転車や軽車両は通行することができるが、自動車はすべて通行できない。	A3 ×	自動車でも、小型特殊自動車は路線バス等の専用通行帯を通行できます。 P.89 No.66
Q.4 □□	路線バス等優先通行帯がある道路では、一般原動機付自転車も優先通行帯を通行することができる。	A4 ○	一般原動機付自転車は、路線バス等優先通行帯を通行できます。 P.89 No.66

重要ルール 15

車の種類・運転免許

自動車と車の違いをしっかり覚える

「車など」の区分 NO.67

車など（車両等）

- 車（車両）
  - 自動車
  - 原動機付自転車
  - 軽車両
- 路面電車

路面電車

道路上をレールにより運転する車。

自動車

原動機を用い、レールや架線によらずに運転する車で、原動機付自転車、軽車両、身体障害者用の車いす、歩行補助車など以外のもの。

原動機付自転車

スクーター、三輪のスリーターなど。

軽車両

自転車（低出力の電動式のものを含む）、荷車、リヤカー、牛馬など。

※架線から動力を得て走るトロリーバスも車に含まれるが、現在は運行されていない。

車の区分で、原動機付自転車は自動車に含まれずに車（車両）になる。

＊このページの「原動機付自転車」は「すべての原動機付自転車」を指す。

自動車の種類と原動機付自転車 NO.68

1 大型自動車(乗用・貨物) 	大型特殊・小型特殊自動車、大型および普通自動二輪車以外の自動車で、次の条件のいずれかに該当する自動車。 ● 車両総重量：11,000kg以上のもの ● 最大積載量：6,500kg以上のもの ● 乗 車 定 員：30人以上のもの
2 中型自動車(乗用・貨物) 	大型・大型特殊・小型特殊自動車、大型および普通自動二輪車以外の自動車で、次の条件のいずれかに該当する自動車。 ● 車両総重量：7,500kg以上11,000kg未満のもの ● 最大積載量：4,500kg以上6,500kg未満のもの ● 乗 車 定 員：11人以上29人以下のもの
3 準中型自動車(貨物) 	大型・中型・大型特殊・小型特殊自動車、大型および普通自動二輪車以外の自動車で、次の条件のいずれかに該当する自動車。 ● 車両総重量：3,500kg以上7,500kg未満のもの ● 最大積載量：2,000kg以上4,500kg未満のもの
4 普通自動車(乗用・貨物) 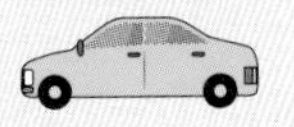	大型・中型・準中型・大型特殊・小型特殊自動車、大型および普通自動二輪車以外の自動車で、次の条件のすべてに該当する自動車。 ● 車両総重量：3,500kg未満のもの ● 最大積載量：2,000kg未満のもの ● 乗 車 定 員：10人以下のもの ※ミニカーも含む。ミニカーは、エンジンの総排気量が50cc以下、または定格出力が0.6kW以下のもの。
5 大型特殊自動車 	特殊な構造の特殊な用途に用いられる自動車で、小型特殊自動車に当てはまらない自動車。
6 大型自動二輪車 	エンジンの総排気量が400ccを超え、または定格出力が20.0kWを超える二輪の自動車(側車付きを含む)。
7 普通自動二輪車 	エンジンの総排気量が50ccを超え400cc以下、または定格出力が0.60kWを超え20.0kW以下の二輪の自動車(側車付きを含む)。

8 小型特殊自動車 	次のすべての条件に当てはまる特殊な構造の自動車。 ● 最高速度：時速15km以下のもの ● 大 き さ：長さ4.7m以下、幅1.7m以下、高さ2m以下のもの(ヘッドガードなどが付いているために高さが2mを超える場合は2.8m以下)
9 一般原動機付自転車	エンジンの総排気量が50cc以下、または定格出力が0.6kW以下の二輪のもの(三輪のスリーターも含む)。もしくは総排気量が20cc以下、または定格出力が0.25kW以下の三輪以上のもの。

3種類ある運転免許を覚えよう

運転免許の種類 NO.69

1 第一種運転免許	自動車や一般原動機付自転車を運転するときに必要な免許。 
2 第二種運転免許	バス、タクシーなどの旅客自動車を旅客運送の目的で運転するときや、代行運転普通自動車を運転するときに必要な免許。 
3 仮運転免許	練習や試験などのために、大型・中型・準中型・普通自動車を運転するときに必要な免許。 

代行運転

客の自動車を本人に代わって運転し、目的地まで届けること。

旅客自動車でも、旅客運送の目的でない車庫への回走などのときは、第二種運転免許は必要ない。

原付免許で運転できるのは原動機付自転車だけ

第一種運転免許の種類と運転できる車 NO.70

●がそれぞれの免許で運転できる車です！

免許の種類＼運転できる車	大型自動車	中型自動車	準中型自動車	普通自動車	大型特殊自動車	大型自動二輪車	普通自動二輪車	小型特殊自動車	原動機付自転車
大型免許	●	●	●	●				●	●
中型免許		●	●	●				●	●
準中型免許			●	●				●	●
普通免許				●				●	●
大型特殊免許					●			●	●
大型二輪免許						●	●	●	●
普通二輪免許							●	●	●
小型特殊免許								●	
原付免許									●
けん引免許	大型・中型・準中型・普通・大型特殊自動車で他の車をけん引するときに必要。ただし、車両総重量750kg以下の車をけん引するときや、故障車をロープなどでけん引するときは必要ない。								

けん引 他の車を引っ張ること。

運転免許についての注意点 NO.71

原動機付自転車を運転するときは、免許証を携帯しなければならない。

免許証を携帯しないと、免許証不携帯の違反になる。

「眼鏡等使用」などの条件付きで免許証を受けているときは、その条件を守って運転する。

免許証を受けている人が免許証を携帯しないで運転した場合は、無免許運転ではなく免許証不携帯になります。

ルールを頭にたたきこむ よく出る問題4選 車の種類・運転免許

問題文が正しい場合は○、誤っている場合は×で答えましょう。

Q1 □□	車とは、自動車と原動機付自転車のことをいい、自転車は車に含まれない。	A1 ×	自転車や荷車などの軽車両も車に含まれます。 P.90 No.67
Q2 □□	道路交通法上では、原動機付自転車は自動車には含まれない。	A2 ○	原動機付自転車は「車」には含まれますが、「自動車」には含まれません。 P.90 No.67
Q3 □□	運転免許の区分は、第一種免許、第二種免許、原付免許の３つに分けられる。	A3 ×	運転免許は、第一種免許、第二種免許、仮免許の３つに区分されます P.92 No.69
Q4 □□	原付免許を取得すれば、一般原動機付自転車と小型特殊自動車を運転することができる。	A4 ×	原付免許で運転できるのは、一般原動機付自転車だけです。 P.93 No.70

重要ルール 16

乗車姿勢・服装

スピード攻略▶安全運転につながる正しい姿勢のポイントを覚える

正しい乗車姿勢 NO.72

視線
まっすぐ前方に向ける。

上体
力を抜き、前かがみになりすぎないように背筋を伸ばす。

腕
力を抜き、ひじを軽く内側にしぼる。

腰
中心線から外れないように、腕や足の動きに無理のない位置に座る。

手
グリップの中央部分を軽く握り、手首に自然な角度をつける。

ひざ
両ひざでタンクやシートの先端を軽く挟む（ニーグリップ）。

足
ステップに足を乗せ、足の裏が水平になるようにし、足先を前方に向ける。

用語チェック　ニーグリップ
両ひざでタンクやシートの先端を軽く挟むこと。

安全に運転するための服装のポイントを覚える

運転にふさわしい服装 NO.73

ヘルメット

乗車用ヘルメットをかぶり、あごひもを必ず締める。工事用安全帽は乗車用ヘルメットではないので不可。

ウェア・装具

肌ができるだけ露出しない長そで・長ズボンのものを着用する（スカートや短パンは避ける）。動きやすい、視認性のよいものを選ぶ。転倒に備え、できるだけプロテクターを着用する。

手袋

ハンドル操作のとき、暑い時期は汗ですべらないように、寒い時期は防寒のために用途に応じたものをつける。

靴

乗車用ブーツや運動靴がよい。ハイヒールやサンダルなど操作に支障があるものは不可。

長そで・長ズボンを着用するのは、転倒したときのケガを最小限にするためです。

服装についての注意点 NO.74

乗車用ヘルメットは、PS(c)マークかJISマークの付いたものがよい。

原動機付自転車は他の自動車に見落とされることがあるので、目につきやすい色のウェアを着用する。

夜間は、反射性のウェアや反射材の付いたヘルメットを着用するのがよい。

ルールを頭にたたきこむ よく出る問題4選 乗車姿勢・服装

問題文が正しい場合は○、誤っている場合は×で答えましょう。

Q1 □□	二輪車の乗車姿勢は、前かがみになるほど風圧が少なくなるので安全で運転しやすくなる。	A1 ×	前かがみになりすぎると、視野が狭くなって危険です。 P.95 No.72
Q2 □□	二輪車を運転するときの乗車姿勢は、ステップに土踏まずを乗せて足の裏が水平になるようにし、足先はまっすぐ前方に向ける。	A2 ○	足の裏が水平になるようにし、足先はまっすぐ前方に向けます。 P.95 No.72
Q3 □□	一般原動機付自転車を運転するときのヘルメットは、工事用安全帽でもかまわない。	A3 ×	工事用安全帽は二輪車の乗車用ヘルメットではないので、運転に使用してはいけません。 P.96 No.73
Q4 □□	夜間、二輪車を運転するときは、視認性を高めるため反射性のウェアや反射材の付いたヘルメットを着用するようにするとよい。	A4 ○	他の運転者から見て、よく目につきやすいものを着用します。 P.97 No.74

重要ルール 17 交通事故

交通事故が起きたときは適切に対応することが大切です！

スピード攻略 ▶ 1→3の措置の手順を覚える

交通事故が起きたときの措置 NO.75

1 続発事故の防止

他の交通の妨げにならない安全な場所に車を移動してエンジンを切る。

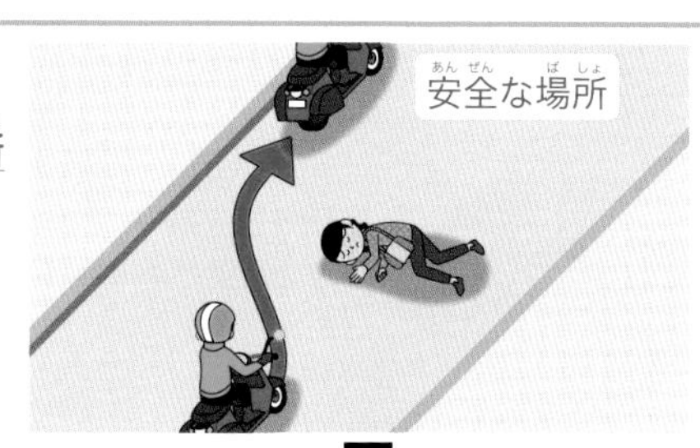

2 負傷者の救護

負傷者がいる場合はただちに救急車を呼び、止血などの可能な応急救護処置を行う。

頭部に傷を負っているときは、負傷者をむやみに動かさずに救急車の到着を待つ。

3 警察官への事故報告

事故が起きた状況などを警察官に報告する。

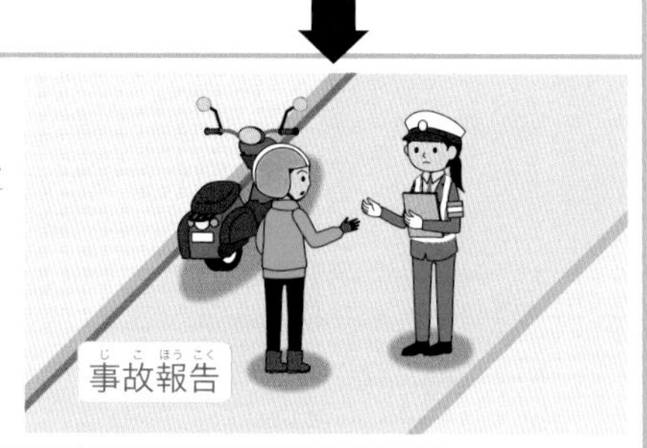

交通事故を目撃したときの心得を覚える

交通事故の現場に居合わせたとき NO.76

負傷者の救護や事故車両の移動などに積極的に協力する。

負傷者がいるときは、救急車を呼ぶ。

ひき逃げを見かけたときは、車のナンバーや特徴、発生状況などを110番通報するなど警察官に届け出る。

事故現場はガソリンが流れ出ていることがあるので、火気は扱わない。

被害者になったときも警察官に届け出る

交通事故の被害者になったとき NO.77

事故の程度にかかわらず、必ず警察官に届け出る（加害者・被害者の双方とも行う）。

すぐに警察官に届け出て、勝手に加害者と示談（当事者間で話し合い合意すること）をしない。

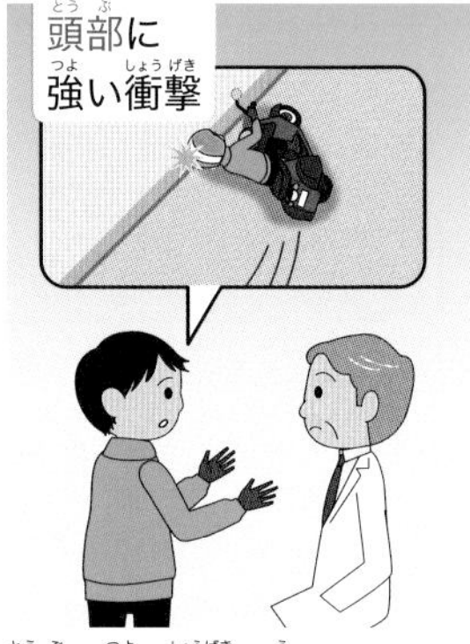

頭部に強い衝撃を受けたときは、外傷がなくても後遺症が出るおそれがあるので、医師の診断を受ける。

ルールを頭にたたきこむ よく出る問題4選 交通事故

問題文が正しい場合は○、誤っている場合は×で答えましょう。

Q1 □□ 交通事故が起きたとき、運転者は事故が発生した場所、負傷者数や負傷の程度、物の損壊程度などを警察官に報告し、指示を受ける。	**A1** ○ 交通事故が起きたときは、事故の状況などを警察官に報告して指示を受けます。 P.98 No.75
Q2 □□ 交通事故で負傷者がいる場合は、医師や救急車が到着するまでの間、ガーゼや清潔なハンカチで止血するなど可能な応急処置を行う。	**A2** ○ 負傷者がいる場合は、止血など可能な応急救護処置を行います。 P.98 No.75
Q3 □□ 交通事故が起きたときは、過失の大きいほうだけが警察官に届け出る。	**A3** × 過失の度合いに関係なく、両方とも届け出なければなりません。 P.100 No.77
Q4 □□ 交通事故を起こし、事故の相手方と話し合いがついたので、後日事故の件を警察官に報告した。	**A4** × 交通事故を起こしたら、すぐに警察官に報告しなければなりません。 P.100 No.77

視覚・自然の力

速度が上がると視力は低下し、視野は狭くなる

視覚の特性 NO.78

速度と視力、視野の関係

視力は速度が上がるほど低下し、とくに近くのものが見えにくくなる。

動きながら、または動いているものを見る動体視力は、速度が上がるほど低下する。

運転者の視野は、速度が上がるほど狭くなる。

明るさと視力の関係

暗いところから急に明るいところへ出ると視力が一時急激に低下する。これが「明順応」。

明るいところから急に暗いところに入ることで視力が一時急激に低下するのが「暗順応」。

暗順応は明順応に比べて、視力回復に時間がかかる。

疲労の影響

目から情報
➡目が疲れる

運転は目から多くの情報を得るので、疲労は目に最も強く現れる。

運転中は一点だけを注視せず、絶えず前方や周囲の交通に目を配るようにする。

走行中の車に働く自然の力 NO.79

1 慣性力

物体が動き続けようとする力。

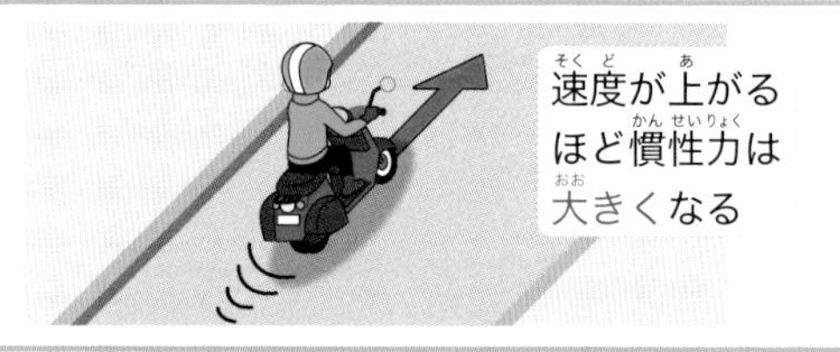

2 重力

物体が垂直方向に押しつけられる力。上り坂では後方に作用し、より強い力が必要になる。
下り坂では前方に作用し、加速力が増して速度が上がる。

3 摩擦力

路面とタイヤによって生じる抵抗。

重量が重くなるほど摩擦力は大きくなる

路面がぬれていたり、タイヤがすり減っていたりすると、摩擦抵抗が低下するため、停止するまでの距離が長くなる。

4 遠心力

カーブの外側に飛び出そうとする力。速度の二乗に比例して大きくなる。また、カーブが急になる（半径が小さい）ほど大きくなる。

5 衝撃力

物体が衝突したときに生じる力。速度の二乗に比例して大きくなり、速度が上がるほど大きくなる。

速度の二乗に比例とは？

速度が２倍 ➡ ４倍（２×２）　速度が３倍 ➡ ９倍（３×３）

ルールを頭にたたきこむ よく出る問題４選 視覚・自然の力

問題文が正しい場合は○、誤っている場合は×で答えましょう。

Q1 明るいところから急に暗いところに入ると、しばらく何も見えずに、やがて少しずつ見えるようになるが、これを「明順応」という。

A1 × 設問の内容は、明順応ではなく「暗順応」です。 P.101 No.78

Q2 運転中の疲労とその影響は目に最も強く現れ、見落としや見間違いが多くなったり、判断力が低下したりする。

A2 ○ 運転中の情報の多くは目から得るので、疲労の影響は目に最も強く現れます。 P.102 No.78

Q3 運転中は、目を広く見渡すように動かすと注意力が散漫になるので、できるだけ一点を見つめて運転したほうがよい。

A3 × 一点だけを見つめないで、広く目を配り、多くの情報をとらえます。 P.102 No.78

Q4 遠心力や制動距離は速度に比例するので、速度が２倍になれば遠心力や制動距離は２倍になる。

A4 × 遠心力や制動距離は速度の二乗に比例するので、速度が２倍になれば４倍になります。 P.103 No.79

重要ルール 19

点検

点検する箇所とその内容を覚える

原動機付自転車の点検箇所 NO.80

ハンドル
ガタはないか、重くないか、左右正常（スムーズ）に切れるか、ワイヤーが引っかかっていないか。

オイル・バッテリーの液量・燃料
エンジンオイル・バッテリーの液量は適正量入っているか、ガソリンなどの燃料は十分か。

バックミラー
後方がよく見えるように調整されているか。

灯火類

前照灯（ヘッドライト）、制動灯（ブレーキランプ）、方向指示器などが確実に点灯（点滅）するか。

エンジン
確実に始動するか。

タイヤ
空気圧は適正か、すり減っていないか、破損はないか。

チェーン
適度なゆるみはあるか。

ブレーキ
前後輪ブレーキが確実に効くか。ブレーキレバーのあそびは適正（10～20㎜程度）か。

マフラー
確実に取り付けられているか、音は正常か。

マフラー
消音装置のこと。

用語チェック

ブレーキのあそび
ブレーキが効かない部分のこと。

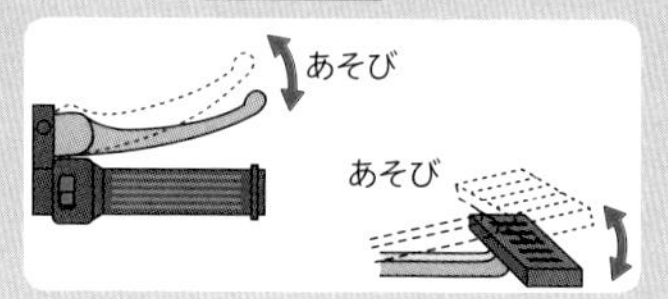

点検の時期 NO.81

走行距離や運転時の状態などから運転者が判断した適切な時期に車の点検をする。

点検の結果、車の不具合が見つかったときは運転を中止し、修理・整備をしてから運転する。

整備不良車は運転してはいけません。他の交通に危険をおよぼすおそれがあります。

ルールを頭にたたきこむ よく出る問題4選 点検

問題文が正しい場合は○、誤っている場合は×で答えましょう。

Q1 タイヤは、空気圧、亀裂や損傷、釘や石などの異物の有無、異常な磨耗、溝の深さについて点検する。

A1 ○ タイヤの点検は、設問のようなことについて行います。 P.104 No.80

Q2 二輪車のチェーンは、中央部を指で押したとき、ゆるみがなくピーンと張っているのがよい。

A2 × 二輪車のチェーンは、適度なゆるみが必要です。 P.104 No.80

Q3 一般原動機付自転車を運転するときは、走行距離や運行時の状態などから判断した適切な時期に日常点検をしなければならない。

A3 ○ 日常点検は、日ごろから自分自身の責任において行う点検です。 P.105 No.81

Q4 ハンドルやブレーキが故障している車は、注意しながら徐行して運転しなければならない。

A4 × ハンドルやブレーキが故障している車は、修理しなければ運転してはいけません。 P.105 No.81

重要ルール 20

運転者の心得

運転者は危険をおよぼさない運転を心がけることが大切です！

スピード攻略

安全運転のために心得ておくことを覚える

運転するときの心がまえ NO.82

交通規則を理解してそれを守り、道路を安全、円滑に通行する。

周囲の歩行者や車の動きに気を配り、相手の立場で思いやりと譲り合いの気持ちで運転する。

交通事故や故障などで困っている人がいたら、救護や連絡などお互いに協力する。

道路に物を投げ捨てたり、他の交通の妨害や迷惑になったりするようなことをしてはいけない。

自動車の特性の理解 NO.83

自動車の死角

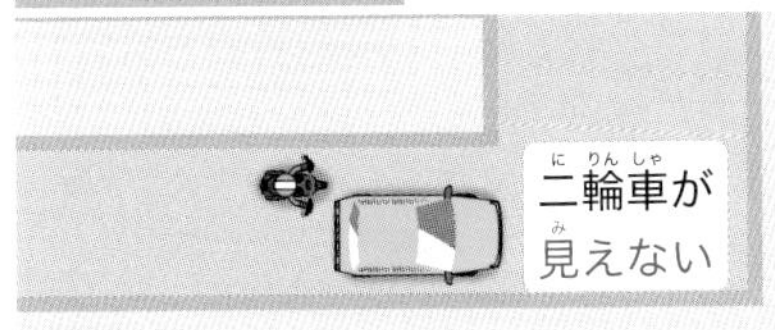

四輪の自動車には運転者には見えない部分である「死角」がある。原動機付自転車は、四輪車の死角に入らないような位置を通行するよう心がける。

内輪差

車が曲がるときは、後輪が前輪より内側を通る。この前後輪の軌跡の差が内輪差。交差点などでは、内輪差を考えた運転をするよう心がける。

スピード攻略 ▶ **運転すると危険な場合を覚える**

運転してはいけないとき NO.84

少量でも酒を飲んだときは、車を運転してはいけない。

酒を飲んだ人に車を貸したり、運転を頼んだりしてはいけない。

病気のとき、疲れているとき、心配事があるときは運転しないようにする。

眠気をもよおす薬を服用したときは、運転をひかえるか体調が回復してから運転する。

スピード攻略▶

車に備えつけておくべきものを覚える

運転前に確認しておくこと NO.85

原動機付自転車は、強制保険に加入しなければならない。任意保険にも加入しておくほうが安心。

強制保険には、自動車損害賠償責任保険（自賠責保険）、自動車損害賠償責任共済（責任共済）の２種類がある。どちらかに加入すること。

免許証を携帯し、有効期限内の自動車損害賠償責任保険証明書、または責任共済証明書を車に備え付けて運転する。

運転前に計画を立てる。目的地までの道順、所要時間などをあらかじめ調べておく。

長時間運転するときは、２時間に１回は休息をとり、疲労を回復させてから運転する。

かぎの管理をしっかり行うことも大切です。車を勝手に持ち出されて事故を起こした場合、車の所有者にも責任がおよぶことがあります！

携帯電話の使用ルールを覚える

運転中の携帯電話の使用 NO.86

走行中は携帯電話を使用してはいけない。

運転前に電源を切るか、呼出音が鳴らないようにしておく。

運転中は、通話だけでなく、メールの送受信や画面の注視などもしてはいけない。

手による操作は危険。

ルールを頭にたたきこむ　よく出る問題4選　運転者の心得

問題文が正しい場合は○、誤っている場合は×で答えましょう。

Q.1 □□	一般原動機付自転車を運転するときは、歩行者などの立場を尊重し、譲り合いと思いやりの気持ちをもつことが大切である。	A1 ○ 譲り合いと思いやりの気持ちで運転することが、安全運転につながります。 P.106 No.82
Q.2 □□	内輪差とは、車が曲がるとき、前輪が後輪より内側を通ることによる前後輪の軌跡の差のことをいう。	A2 × 曲がるとき、後輪が前輪より内側を通ることによる前後輪の軌跡の差が内輪差です。 P.107 No.83
Q.3 □□	自動車や一般原動機付自転車を運転するときは、運転免許証は家に大切に保管し、そのコピーを携帯するとよい。	A3 × 運転するときは、コピーではなく、運転免許証を携帯しなければなりません。 P.108 No.85
Q.4 □□	スマートフォンなどは、運転する前に電源を切るかドライブモードに設定して、呼出音が鳴らないようにしておく。	A4 ○ 運転に集中できないので、あらかじめ電源を切るか呼出音が鳴らないようにします。 P.109 No.86

重要ルール 21

緊急事態

スピード攻略▶

大地震が起きたときの対応の手順を覚える

運転中に大地震が発生したとき NO.87

1 あわてずに車を止める

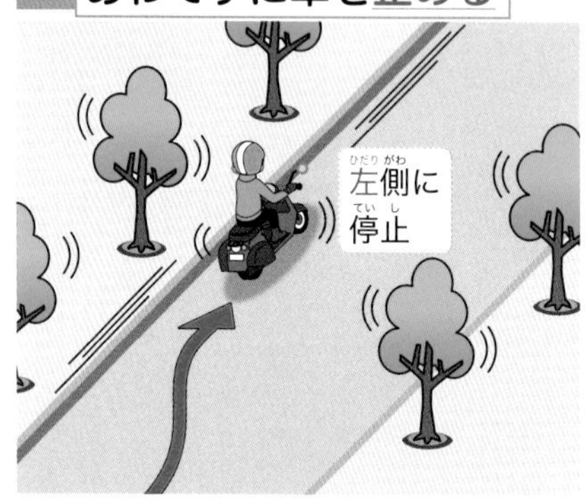

ハンドルをしっかり握り、急ブレーキや急ハンドルを避け、できるだけ安全な方法で道路の左側に停止する。

2 情報を聞く

携帯電話などで地震情報や交通情報を聞き、周囲の状況に応じて行動する。

3 車を道路外に移動する

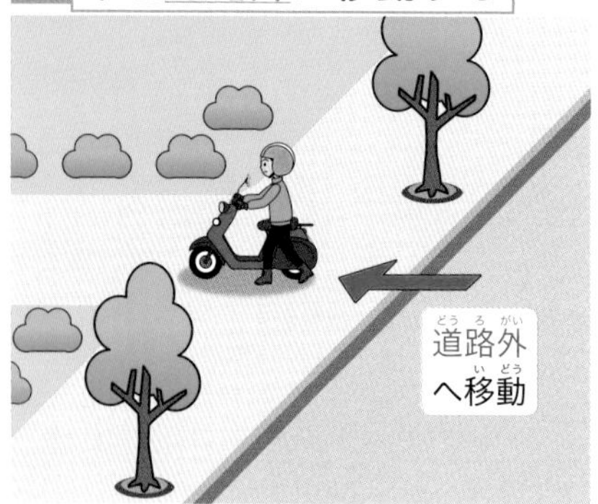

道路上に駐車すると緊急自動車などの進路の妨げになるため、できるだけ道路外の場所に車を移動しておく。

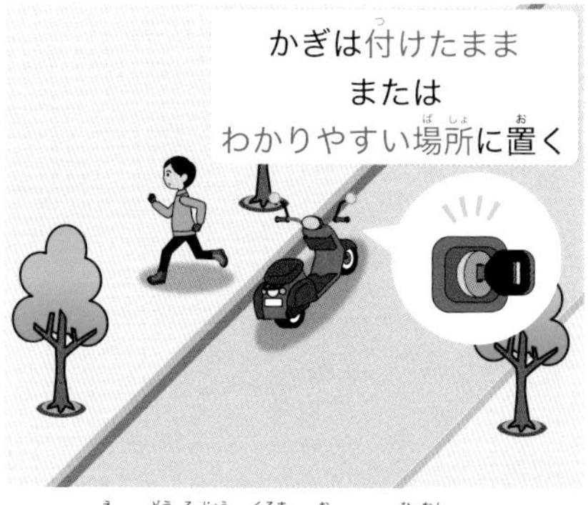

やむを得ず道路上に車を置いて避難するときは、エンジンを止め、かぎは付けたままにするかわかりやすい場所に置き、ハンドルロックはしない。

大地震が発生したときの注意点 NO.88

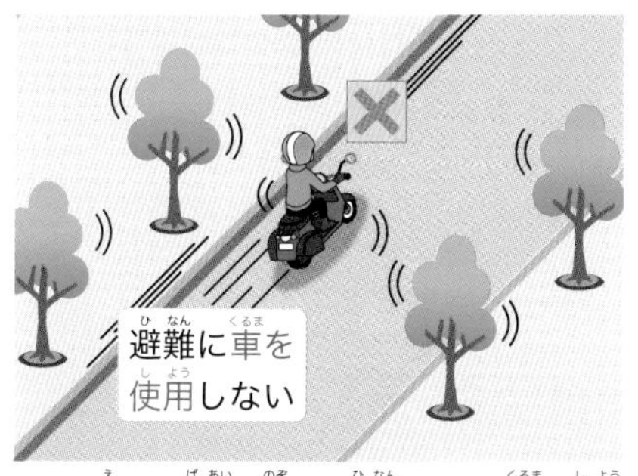

やむを得ない場合を除き、避難のために車を使用してはいけない。

その理由

道路が渋滞して、動きがとれなくなるおそれがある。

「やむを得ない場合」とは、津波から避難するときのように一刻を争う場合。

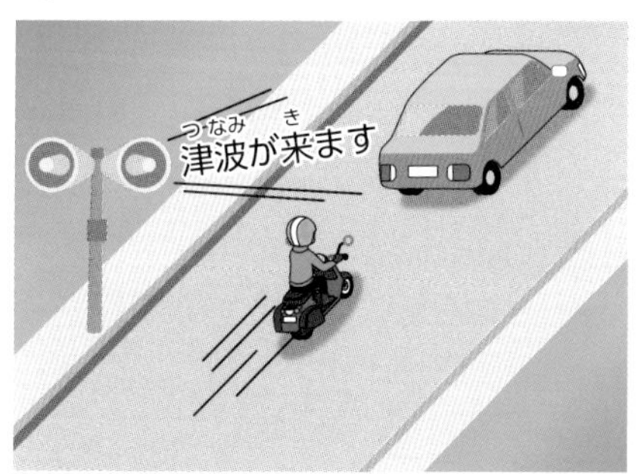

津波から避難するときなどやむを得ないときは、車で避難できる。

やむを得ず車で避難する場合は、道路の損壊、道路上の障害物などに十分注意する。

道路上で車が故障したとき NO.89

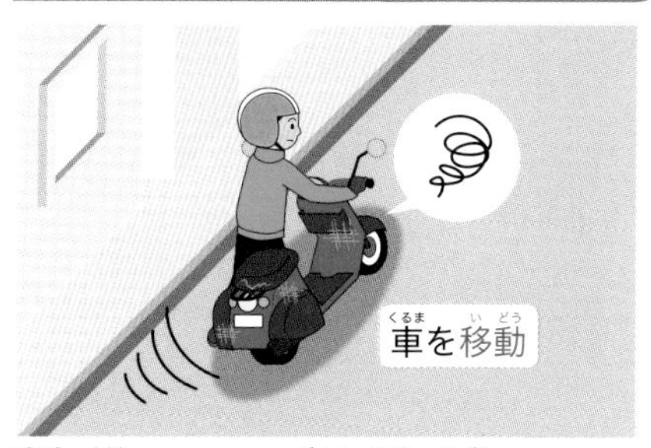

交通の妨げにならない場所に車を移動させる。

燃料切れなどで車が動かなくなった場合は、道路外に車を移動させる。

緊急事態のときに車を安全に止める方法を覚える

運転中に危険が生じたときの措置 NO.90

1 タイヤがパンクしたとき

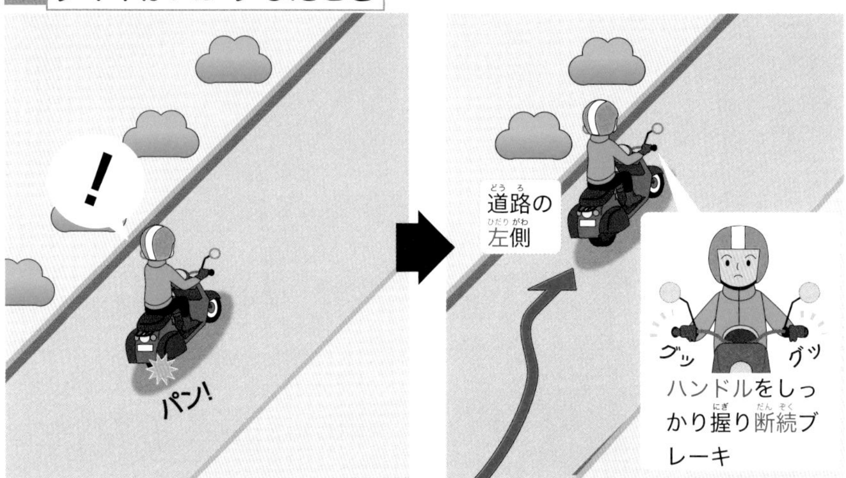

あわてずにハンドルをしっかり握り、ブレーキを断続的にかけて速度を落とし、道路の左側に車を止める。

2 エンジンの回転数が上がったままになったとき

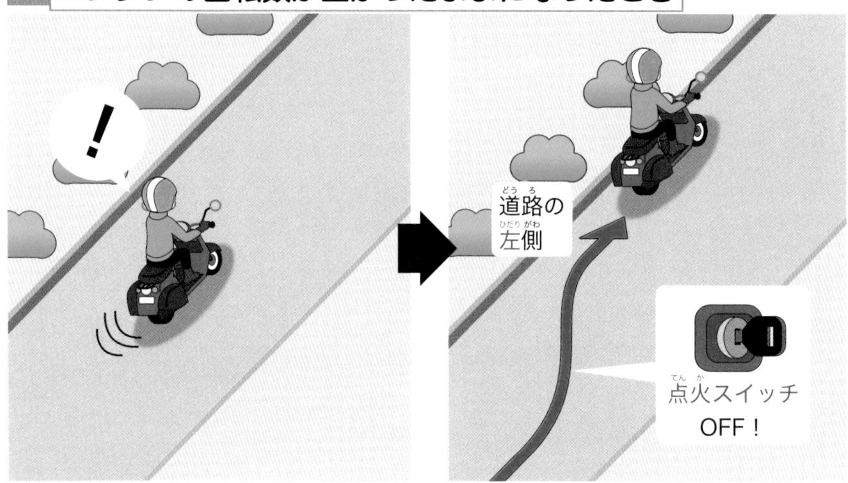

エンジンの点火スイッチを切り、徐々に速度を落とし、道路の左側に車を止める。

緊急事態が発生したときは、どの場合でも、まずあわてないこと。ふだんから心がけておきましょう！

3 正面衝突のおそれがあるとき

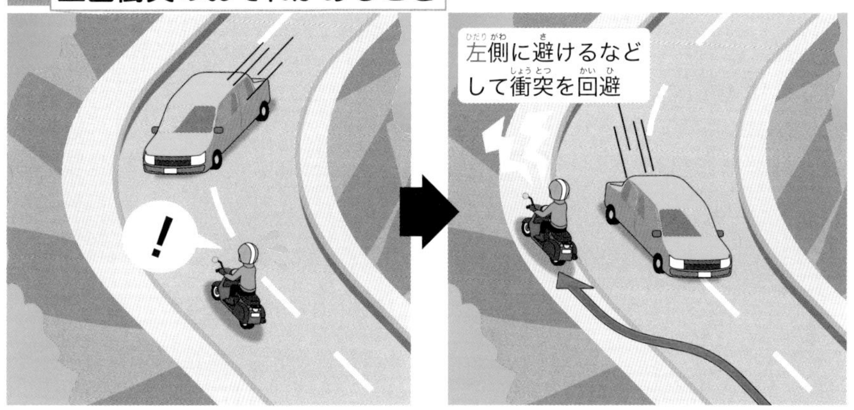

警音器を鳴らすとともに、ブレーキをかけ、速度を落として左側に避ける。道路外が安全な場所であれば、道路外に出て衝突を回避する。

4 下り坂でブレーキが効かなくなったとき

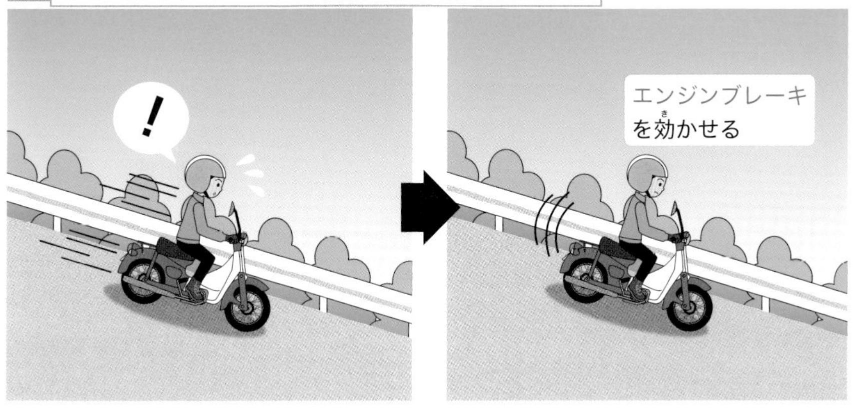

すばやくギアチェンジで低速ギアに入れ（シフトダウン）、エンジンブレーキを効かせて速度を落とす。それでも減速しないときは、道路わきの土砂などに突っ込んで車を止める。

試験に出るのはココ！ **エンジンブレーキの効果**

エンジンブレーキは低速ギアほどその効果は高くなる。

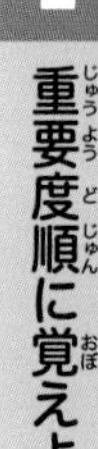

5 後輪が横すべりを始めたとき

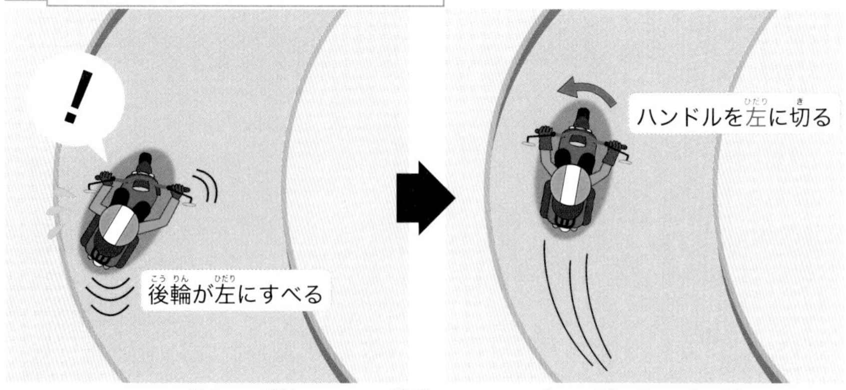

アクセルをゆるめると同時に、後輪がすべった方向にハンドルを切って車の向きを立て直す。

後輪が左にすべると車体は右に向くので、ハンドルを左に切る。

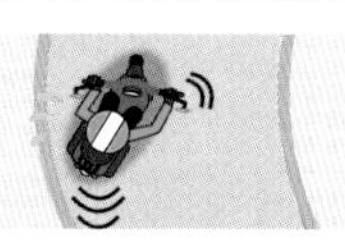

ルールを頭にたたきこむ よく出る問題4選 緊急事態

問題文が正しい場合は○、誤っている場合は×で答えましょう。

問題	問題文	答え	解説
Q1 □□	走行中、大地震が発生したので、急ブレーキをかけてその場に停止し、すぐに車から離れた。	A1 ×	急ブレーキは避け、すぐ車から離れず、情報を得てから、できるだけ道路外に移動します。 P.110 No.87
Q2 □□	大地震が発生したときは、できるだけ車を使って避難するのがよい。	A2 ×	津波から避難するためやむを得ない場合を除き、車を使って避難してはいけません。 P.111 No.88
Q3 □□	正面衝突のおそれが生じた場合は、道路外が危険な場所でなくても、道路外に出ることはしてはならない。	A3 ×	道路外が危険な場所でなければ、道路外に出て正面衝突を回避します。 P.113 No.90
Q4 □□	後輪が右に横すべりを始めたときは、アクセルをゆるめると同時に、ハンドルを右に切って車体を立て直す。	A4 ○	後輪がすべった方向にハンドルを切って、車の向きを立て直します。 P.114 No.90

重要ルール22 危険な場所

踏切、坂道・カーブなどの安全な走り方を覚えましょう！

スピード攻略 安全に踏切を通過するときの手順を覚える

踏切を通過するとき NO.91

1 直前で一時停止

踏切の直前、停止線があるときはその手前で一時停止する。

例外 一時停止しなくてもよい場合

信号機のある踏切で青信号の場合は、踏切内の安全を確かめれば、一時停止する必要はない。

2 左右の安全を確認

列車が来ないかどうか、運転者自身の目と耳で左右の安全を確認する。

ココに注意 一方から来る列車が通過しても、もう一方から列車が来ることがあるので注意する。

3 余地があるか確認

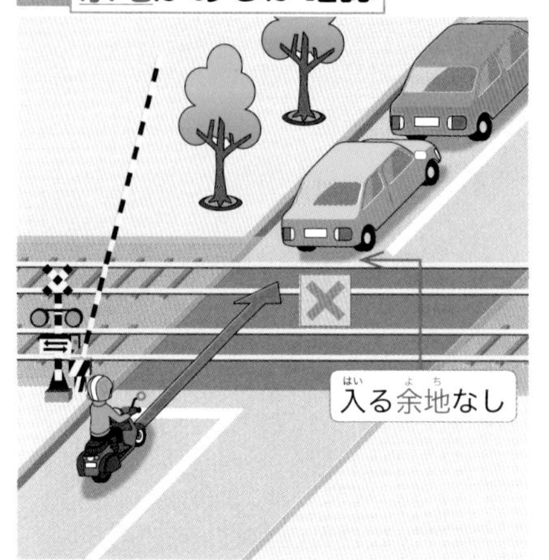

踏切の先に自分が入る余地があることを確かめる。

4 すみやかに発進

1～3の確認ができたら、すみやかに発進する。

渋滞しているなど踏切内で停止してしまうおそれがあるときは、発進してはいけません。

踏切を通過するときの注意点 NO.92

踏切内では、エンストを防止するため、変速しないで発進したときの低速ギアのまま一気に通過する。

落輪しないように、対向車に注意してやや中央寄りを進行する。

警報機が鳴っていたり、遮断機が下りていたり(下り始めている場合も含む)するときは、踏切に入ってはいけない。

踏切内で故障などにより車が動かなくなったときは、非常ボタン(踏切支障報知装置)などで列車の運転士に知らせる。

上りと下りの坂道の特性を覚える

坂道の通行方法 NO.93

1 上り坂での停止・発進

前車が後退してくるおそれがあるので、車間距離を長めにとって停止する。

発進するときは、ブレーキをしっかりかけ、その後アクセルを多めに回して後退しないようにする。

2 長い下り坂では

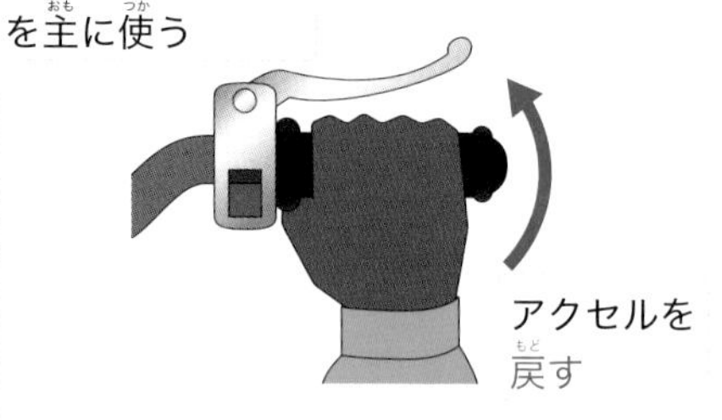

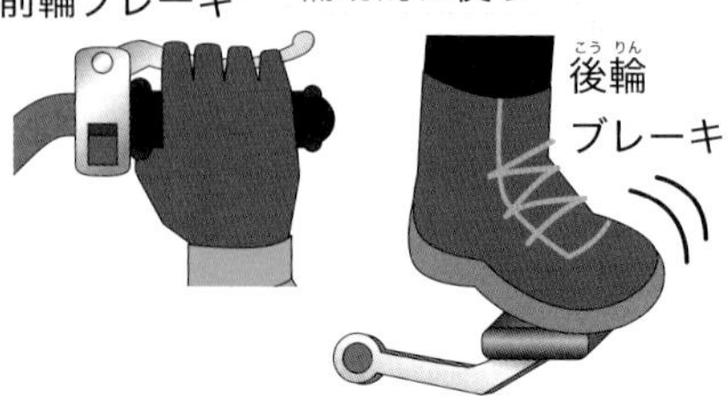

惰力がついて危険なので、速度を十分落として坂を下る。

エンジンブレーキを主に使い、前後輪ブレーキを補助的に使用する。

対向車との行き違い NO.94

1 道幅の狭い坂道では

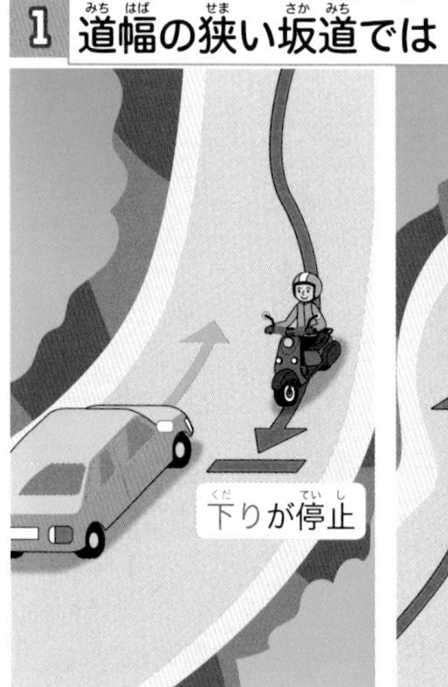

上りの車が停止すると発進するのが困難になるので、下りの車が停止するなどして上りの車に道を譲る。

近くに待避所があるときは、上りの車でもそこに入って下りの車に道を譲る。

2 前方に障害物があるとき

あらかじめ一時停止か減速をして、反対方向からの車に道を譲る。

3 片側ががけの道路では

片側が転落の危険のあるがけになっている道路で、対向車と安全な行き違いができないときは、がけ側の車が一時停止して道を譲る。

ココに注意

転落のおそれのあるがけ側の車が、まず安全な場所に停止することが大切。

危険なほうの車が動かないのが安全です！

カーブを安全に通行する方法を覚える

カーブの通行方法 NO.95

1 スローイン・ファーストアウト走行

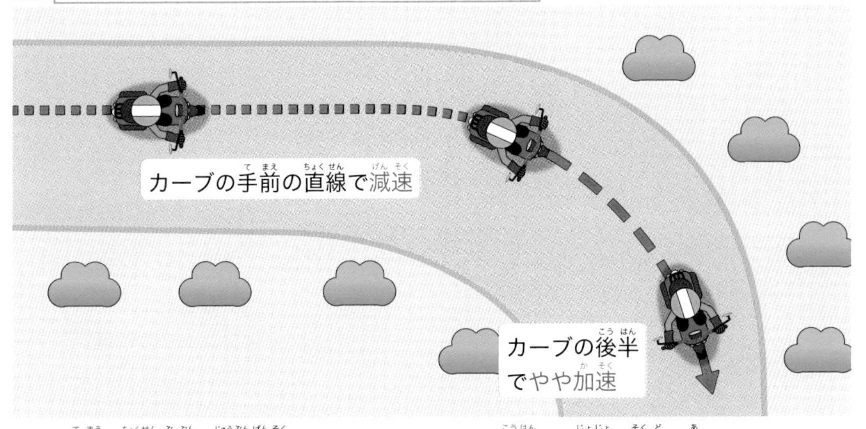

カーブ手前の直線部分で十分減速し(スローイン)、カーブの後半から徐々に速度を上げていく(ファーストアウト)方法で通過する。

2 カーブの曲がり方

コーナリング中は遠心力が外側に働くため、車体をカーブの内側へ傾ける。ハンドルを無理に切ろうとしないで、自然に車体を傾ける要領でカーブを曲がる。

3 カーブでのブレーキ操作

コーナリング中にブレーキをかけると、タイヤがスリップして転倒するおそれがある。カーブの手前で十分速度を落としておく。

4 対向車に注意

見通しの悪いカーブでは、対向車の接近が見えにくいので、注意して通行する。対向車がカーブを曲がりきれずに、自車の前にはみ出してくることもある。

ルールを頭にたたきこむ よく出る問題4選 危険な場所

問題文が正しい場合は○、誤っている場合は×で答えましょう。

問題	問題文	答え	解説
Q.1 □□	踏切で信号が青色のときは、踏切の手前で一時停止する必要はないが、安全を確かめてから通過しなければならない。	A1 ○	青信号のときは、踏切の手前で一時停止する必要はありません。 P.115 No.91
Q.2 □□	踏切内を通過するときは、歩行者や対向車に注意しながら、できるだけ左端を通行する。	A2 ×	踏切内を通過するときは、落輪しないようにやや中央寄りを通ります。 P.116 No.92
Q.3 □□	坂道での行き違いは、上りの車が下りの車に道を譲るのがマナーである。	A3 ×	下りの車が、発進のむずかしい上りの車に道を譲るのが原則です。 P.118 No.94
Q.4 □□	カーブを走行するときは、カーブの手前で速度を落とし、カーブの後半で前方の確認をしてからやや加速するようにする。	A4 ○	設問のような方法でカーブを走行します。 P.119 No.95

重要ルール 23

夜間・灯火

夜間は歩行者などが見えにくく危険。注意するポイントを覚えましょう！

スピード攻略

状況によるライトの使い方を覚える

夜間運転するとき NO.96

夜間とは、日没から日の出までの間をいいます！

夜間は視界が悪いので、歩行者や自転車の発見が遅れがちになる。昼間より速度を落として慎重に運転する。

視線をできだけ先へ向け、少しでも早く障害物を発見するようにする。

夜間、道路を運転するときは、ライトをつけなければならない（原則として上向きにする）。

昼間でも50メートル先が見えないような場所を通行するときは、ライトをつける。

灯火のルールと注意点 NO.97

あたりが薄暗くなったら、早めにライトをつけて視認性を高める。

昼間であっても、他者から見てよく目立つようにライトをつけて走行するとよい(デイ・ライト)。

用語チェック **視認性** 目で見たときの見やすさのこと。

交通量の多い市街地の道路を通行するとき、前車の直後を走るとき、対向車がいるときは、前照灯を下向きに切り替える。

見通しの悪い交差点やカーブでは、ライトを上下に切り替えるか点滅させて、自分の車の接近を知らせる。

用語チェック **前照灯** 車の前にあるライトのこと。ヘッドライト。

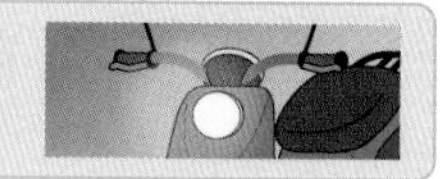

対向車のライトがまぶしいときは、げん惑を防ぐため、視点をやや左前方に移して目がくらまないようにする。

対向車がいるときは、自分の車と相手の車とのライトが重なり歩行者や自転車が見えなくなることがある（蒸発現象）ので、前方に注意して運転する。

げん惑 ライトが目に入り、目が見えなくなる状態になること。

ルールを頭にたたきこむ よく出る問題4選 夜間・灯火

問題文が正しい場合は○、誤っている場合は×で答えましょう。

Q.1 □□	夜間、街路灯がついている明るい道路を通る車は、前照灯をつけなくてもよい。	A1 ×	夜間、車を運転するときは、必ず前照灯をつけなければなりません。 P.121 No.96
Q.2 □□	昼間でも、トンネルの中や霧のために50メートル先が見えない場所を通行するときは、ライトをつけなければならない。	A2 ○	50メートル先が見えない場所では、昼間でもライトをつけなければなりません。 P.121 No.96
Q.3 □□	夜間、交通量の多い道路では、前方の状況をはっきりさせるため、ライトは上向きにしたまま運転する。	A3 ×	交通量の多い道路では、ライトを下向きに切り替えて運転します。 P.122 No.97
Q.4 □□	対向車のライトがまぶしいときは、それを見つめずに、視点をやや左前方に移して運転したほうがよい。	A4 ○	ライトがまぶしいときは、視点をやや左前方に移します。 P.123 No.97

重要ルール 24

悪天候

悪天候のときの運転で注意すべきポイントを覚えましょう！

スピード攻略▶

天候による運転のコツを覚える

雨の日、雨のあとの運転 NO.98

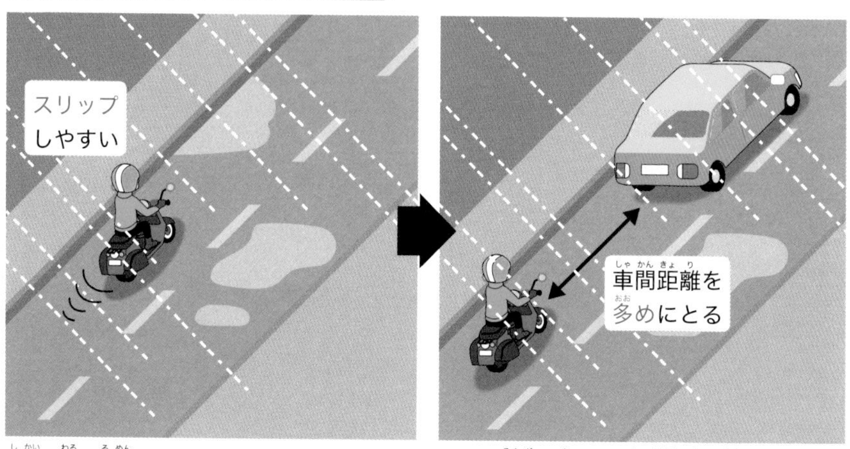

視界が悪く路面もすべりやすくなるのでスリップしやすい。速度を落とし、車間距離を多めにとって運転する。

ぬかるみや砂利道などで路面の状態が悪いときは、バランスをくずしやすい。急ブレーキや急ハンドルを避け、低速ギアで速度を一定に保ちながら通行する。

霧が発生したときの運転 NO.99

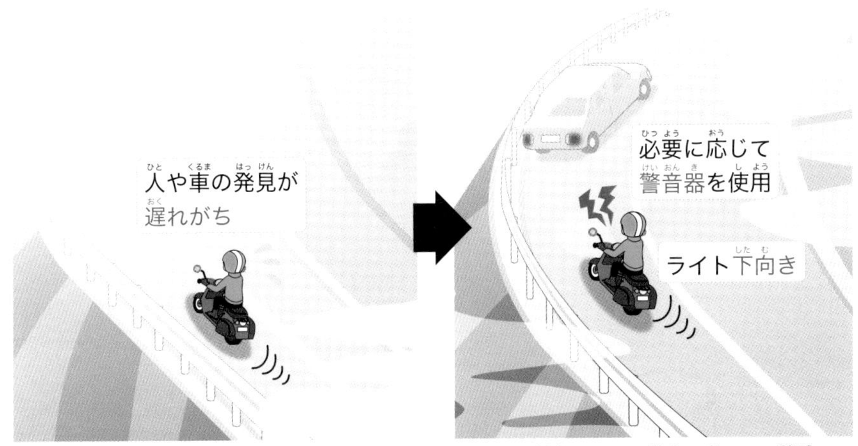

視界が極端に悪く、人や車の発見が遅れがちになる。ライトを下向きにして速度を落として走行し、必要に応じて警音器を使用する。

前の車の制動灯(ブレーキランプ)やガードレールなどを目安にする。

雪道での運転 NO.100

路面がたいへんすべりやすく、二輪車の運転はとても危険なので、できるだけ運転しないようにする。やむを得ず運転するときは、他の車のタイヤの通った跡(わだち)を通行する。

強風下での運転 NO.101

二輪車はハンドルをとられやすく、車体もふらつきやすくなる。ニーグリップを確実に行い、速度を落として運転する。

ニーグリップ

両ひざでタンクやシートの先端を軽く挟むこと。

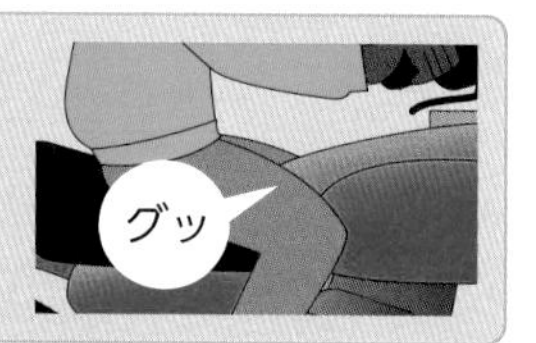

ルールを頭にたたきこむ よく出る問題4選 悪天候

問題文が正しい場合は○、誤っている場合は×で答えましょう。

Q1 □□	雨の日は、視界が悪く路面がすべりやすいので、晴れの日よりも速度を落とし、車間距離を多めにとって運転する。	A1 ○	雨の日は晴れの日よりも速度を落とし、車間距離を多めにとります。 P.124 No.98
Q2 □□	砂利道では、高速ギアで一気に通行するのがよい。	A2 ×	低速ギアで速度を一定に保って通行します。 P.124 No.98
Q3 □□	霧の中を走行するときは、見通しをよくするため、前照灯を上向きにしたほうがよい。	A3 ×	前照灯を上向きにすると、光が乱反射してかえって見通しが悪くなります。 P.125 No.99
Q4 □□	二輪車はその特性上、速度が下がるほど安定性が悪くなるので、雪道などでの運転はなるべく避けたほうがよい。	A4 ○	雪道での運転は危険を伴うので、なるべく避けるようにします。 P.125 No.100